Bro a Bywyd
Syr O. M. Edwards

Golygydd / Hazel Davies

Cyngor Celfyddydau Cymru 1988

Rhagair

Yn un o'i gerddi y mae Wordsworth, hoff fardd Saesneg O.M. Edwards, yn gwahaniaethu rhwng breuddwyd neu weledigaeth y llenor a'r llenor ei hun. Yn y pen draw y weledigaeth sydd yn aros. Ond cawn ein hannog gan Wordsworth i beidio ag isel-brisio disgrifiadau o'r dyn ei hun, y dyn cyffredin ar daith drwy fröydd ac amserau ei fywyd a'i gyfnod. Mae'r bardd yn ein cymeradwyo i ofyn

> **pwy** a **beth** oedd hwn —
> Y diflanedig un a welodd weledigaeth;
> **Pryd**, a **ble**, a **sut** y bu yn byw.

Ni all cynnyrch unrhyw weledigaeth o werth gael ei gynrychioli gan luniau neu gan ffeithiau unigol y bywyd. Ond y mae bywyd O.M. Edwards yn gweddu'n fwy na'r arfer i bortread o'r math a ddarperir yng nghyfres 'Bro a Bywyd', gyda'i phwyslais ar y gweledol. Am un peth, O.M. yw'r person cynharaf yn y gyfres; mae dyn a anwyd yn 1858 yn agor drws ar gyfnod tra gwahanol i'n cyfnod ni, ac un y mae pob ffotograff ohono yn rhywbeth i'w drysori.

Yn anad neb, hwn hefyd yw'r gŵr a dyfodd yn arwr i genedlaethau o Gymry'r ganrif hon. Ond llun ohono ar ddiwedd ei oes a ddaeth yn ddelwedd y dylanwad hwnnw. Er mwyn cred sicrach yn eu dynoliaeth, mae angen arnom weithiau weld ein harwyr yn ieuenctid eu dydd.

Hefyd, bu i O.M. Edwards fywyd a gyrfa amrywiol. Daeth mab y tyddynwr yn fyfyriwr, yn bregethwr, yn Gymrawd Coleg, yn llenor, yn Aelod Seneddol, yn gyhoeddwr, yn olygydd toreithiog, yn Arolygwr ei Fawrhydi, yn dir-feddiannwr ac yn farchog. A bu'n ymgartrefu mewn bröydd sydd yn gyson wedi denu llygad y ffotograffydd: Llanuwchllyn a'r Bala, Aberystwyth, Yr Alban, Rhydychen a Whitehall, heb sôn am wledydd y cyfandir a ddaeth mor fyw drwy'r llyfrau.

Ac yn olaf, wele'r eironi: o blith llenorion y gyfres hyd yn hyn, y gŵr cynharaf hwn yw'r unig un a oedd ei hun yn ffotograffydd brwd. Medrwn ddyddio'i ddiddordeb: ysgrifennodd o Rydychen at ei wraig Elin ar 20 Mawrth, 1891 —

> Yr wyf yn dechre difyrru fy hun ychydig yn lle gweithio fy hun i farwolaeth. A'r ffordd wyf am gymeryd i ddifyrru fy hun ydyw trwy ddysgu tynnu pictiwrs; nid trwy wneyd y gwaith yn araf, hefo brws neu bensel. . . ond trwy dynnu caead oddiar lygad y camera, ac mewn chwiff, dyna'r pictiwr wedi ei wneyd.

Tynnwyd nifer fawr o'r lluniau yn y gyfrol hon gan O.M. ei hun. Efallai mai digon i ddangos cymaint oedd ei ddiddordeb yw'r ffaith iddo drefnu ystafell dywyll yn Y Neuadd Wen. Ond dengys un ffotograff arbennig nas tynnwyd gan O.M. (rhif 255) rywbeth mwy. Mewn tyrfa o bwysigion Rhydychen ar achlysur cyhoeddi Edward VII yn frenin, dim ond O.M. a welodd lygad y camera. Profiad rhyfedd wrth chwilio wynebau'r dorf honno drwy chwyddwydr oedd gweled, yn sydyn, lygaid O.M. wedi eu troi arnaf.

Ac mae hynny'n symbol, bron, o un agwedd ar y bywyd a geir yma. Ni fedrodd O.M. fyth gymryd ei lwyddiant yn ganiataol. Roedd yn gyson ymwybodol o'r pellter cymdeithasol mawr (pellter mwy, bryd hynny) yr oedd mab y tyddynwr wedi ei deithio. Mae hyn yn un o'r pethau mwyaf hoffus amdano. Ac er bod cyfle mewn cyfrol fel hon i daflu llygad oer ar ambell agwedd ar fywyd ei wrthrych, erys O.M. yn berson cadarn a deniadol. Wrth gwrs, nid oedd ei fywyd heb densiynau a gwrthddywediadau. Fe ddaeth iddo hefyd, ymhlith yr ergydion, y ddwy waethaf posibl, sef colli plentyn a cholli cymar, a cholli'r ddau yn greulon ddisymwth. Ond trwy'r cyfan daw'r argraff o berson dynol a dewr, person y bu'n bleser i ymweld â'i fro a dilyn ei fywyd.

NODYN: *Cedwir y dyfyniadau o bapurau personol O.M. yn union fel y maent yn y gwreiddiol.*

Hazel Davies

1

1. O.M.
'Dyma'r O.M. Edwards a swynodd ac a achubodd fy nghyfnod i
ac nid y gŵr gwyn ei wallt sydd â'i lun ar barwydydd yr
ysgolion. Erbyn hynny yr oedd ei waith arnom ni wedi ei
wneud.'

E. Tegla Davies at Owen Edwards, ŵyr O.M., Awst 1966.

2

Teulu Pen y Geulan

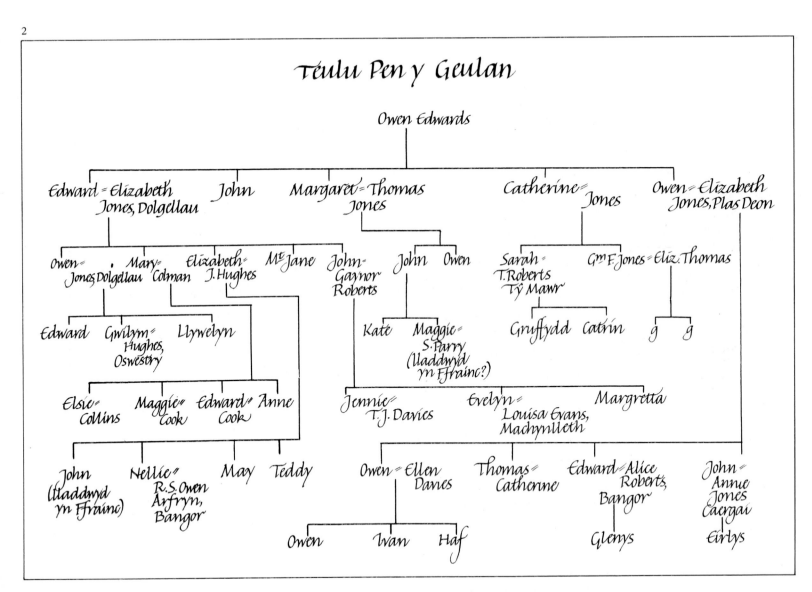

3

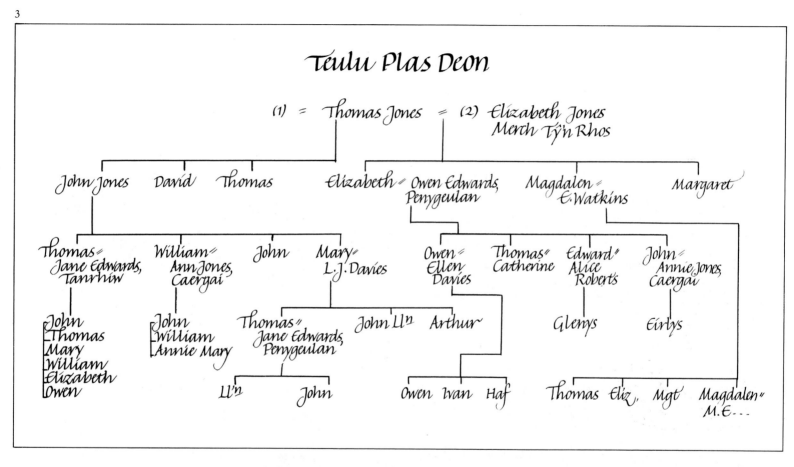

Teulu Plas Deon

(1) = Thomas Jones = (2) Elizabeth Jones
Merch Tŷ'n Rhos

John Jones   David   Thomas   Elizabeth = Owen Edwards,   Magdalen =   Margaret
Penygeulan   E. Watkins

Thomas =   William =   John   Mary =   Owen =   Thomas =   Edward =   John =
Jane Edwards,   Ann Jones,   L. J. Davies   Ellen   Catherine   Alice   Annie Jones,
Tanrhiw   Caergai   Davies   Roberts   Caergai

John   John   Thomas =   John Ll'n   Arthur   Glenys   Eirlys
Thomas   William   Jane Edwards,
Mary   Annie Mary   Penygeulan
William
Elizabeth
Owen

Ll'n   John   Owen   Ivan   Haf   Thomas   Eliz.   Mgt   Magdalen =
M.E ---

2. Cart achau a luniwyd gan O.M. o deulu Penygeulan, Llanuwchllyn. Un o feibion Penygeulan oedd Owen Edwards, tad O.M.

3. Cart achau a luniwyd gan O.M. o deulu Plasdeon, Llanuwchllyn. Yr oedd mam O.M., Elizabeth Edwards Coed-y-pry, yn ferch i Thomas Jones, Plasdeon.

4

5

6

4. Owen ac Elizabeth Edwards, tad a mam O.M.

5. Owen 'Edwart' Coed-y-pry.
'Y mae nhad yn un o'r rhai ffeindia ac yn un o'r rhai digrifa pan fydd mewn hwyl, ond fel ei fab hynaf, y mae'n o swil.'
O.M. at Elin, Chwefror 1891.

6. 'Bet' Coed-y-pry.
'. . .am fy mam, ni fu neb erioed ar y ddaear gan berffeithied a hi, er fod yn haws ganddi dorri X na "Elizabeth Edwards".'
Llyfr Nodiadau O.M., 1888.

7. Penygeulan, Llanuwchllyn, cartref tad O.M.

8. Melin Penygeulan. Edward Edwards, ewythr O.M., oedd y melinydd a gweithiai Twm, brawd O.M.,yn y felin.

7

8

9

9. Edward Edwards
Penygeulan, ewythr O.M. ac
ysgolfeistr, melinydd, a blaenor
yn Llanuwchllyn.

'Athro a melinydd oedd Edward
Edwards, — gŵr golygus,
hawdd ganddo chwerthin ac
wylo, wedi cael mwy o
fanteision addysg na'r cyffredin,
ac un diguro gyda phlant.'

Clych Atgof

10

10. Tŷ'n Rhos. Dyma gartref Thomas ac Elizabeth Jones, taid a nain O.M.

'Ymdrochai y gwlaw yn genlleif di-baid hyd 9.30; yna cychwynasom, fy nhad, mam, Twm a minnau i'r Ty'n rhos. Buom yn myned yno laweroedd o weithiau, i hel defaid, i wledda, etc — ond erioed ar y gorchwyl prudd glwyfus oedd ganddom heddyw — *claddu nain . . .* Yna aeth rhai o honom i weled nain. Yr oedd yn brydferth, yn brydferth iawn; yr oedd yn welwach yn wir na phan welais hi ddiweddaf, ond pwy rhyfedd — yr oedd marwolaeth wedi cymeryd gofal arni. Dywedai Watkin Jones wrthyf ar y ffordd — "Yr oedd yn un o'r rhai tlysa, ac yn un handy, yn ddyn i, yn gwisgo'i het ar ochor ei phen fwy na neb."
Peth pur ryfedd i feddwl oedd fod nain yn cyfnewid am ychydig lathenau o dir y fynwent dyddyn dymunol Ty'n Rhos mor bell ac yr oedd y materol ohoni yn myned.'

Llyfr nodiadau O.M., Mai 1878.

11

11. Y dystysgrif geni a fu gymaint o flinder i O.M.

'Cefais fy "certificate of birth" y diwrnod o'r blaen. Disgrifir fy nhad fel "farmer", a rhydd farc yn lle ei enw. Pwy goleg estynnai "fellowship" ei gymdeithas i fab amaethwr na fedrai ysgrifennu ei enw?'

O.M. at ei frawd, o Rydychen, Hydref 1888.

8

12

12/13. Un o gartrefi Cymru: Coed-y-pry.

'Ein gwlad ni ydyw. Y mae wedi ei chysegru â hanes ein cenedl. . .
Mae cartrefi yma ac acw hyd-ddi, a phlant ynddynt, llawn o fywyd
a gobaith, fel y gwroniaid a fu ynddynt gynt; onid gwaith da yw
dangos i'r plant gyfeiriad camrau y rhai a gychwynnodd o'r cartrefi
hynny o'u blaen?'

Cartrefi Cymru

'Cofiaf am dano byth, yr wyf yn awr fel pe'n cofio arogl y *tansy*
wrth ei gefn, ac arogl y danadl poethion a'r drain yn y gwanwyn,
ac hwyrach na chawn ein dau le dedwyddach byth na'r "ty bach"
adeiladwyd gynt uwchben y ffos tan gysgod y "twmpath", ei waliau
o geryg crymion, ai do o dywyrch trwm, ei addurniadau y ceryg
llyfnaf o Din y Wern, ein paradwys ni a Sam. . .'

O.M. at ei frawd John, Chwefror 1882.

14.   Llidiart Coed-y-pry gan S. Maurice Jones, 1891.

'Siriolodd fy ysbryd drwyddo y bore yma gan y pictiwr o lidiart
Coedypry. . . a Ffog ar y ffordd a'r hên goeden griafol gam. . .'

Edward Edwards at ei frawd, O.M., Mai 1897.

13

14

15

16

15.   Cae Rhys. Bu teulu Owen a Bet Edwards yn ymgartrefu yng Nghae Rhys am flynyddoedd lawer tra ail-adeiladwyd bwthyn Coed-y-pry.

'Y mae'n siwr eich bod wedi cael golwg ar hen balas Caerhys... Y mae'n siwr fod mam yn siarad, beth bynnag arall oedd yn y ty... Y mae llawer un yn ysgrifennu'n ddigon gostyngedig ataf fi yrwan, ond pe gwelai Caerhys dywedai, "By jingo, what a strange place he comes from".'

O.M. at Elin o Genefa, Chwefror 1888.

16/17/18/19.   Brodyr Coed-y-pry.

16.   Owen Edwards.

17.   Thomas Edwards, 'y mwya twymgalon ohonom o lawer' (O.M.). Bu 'Twm' a'i wraig, wedi marwolaeth ei dad, yn ffermio Coed-y-pry.

17

18

'A yw Twm yn dal i falu
Yn y felin ac yn tyfu
Yn ei dafod ffraeth?
Gwell i bwt fel Twm fy mrawd,
Higle baglog hogle blawd
Wneyd ei hun yn gaeth
Nid i fudur ben ei getyn
Nac i gynhes gartre'r odyn,
Ond i ofyniade 'i fusnes
A gorchmynion ei fwyn feistres'.

*Rhigwm a anfonodd O.M. o Goleg
Balliol i Gae Rhys, 1885.*

19

18.   Edward Edwards (Ned). Daeth Ned yn Athro Hanes yng Ngholeg Prifysgol Cymru, Aberystwyth.

'Yr ydym yn bur hoff ac yn bur falch o'n gilydd ein dau, er na fydd gennym ryw lawer i'w ddweyd wrth ein gilydd. Y mae gan Ned dipyn o barch i'w frawd hynaf, chware teg iddo, bydd yn gadael i mi siarad am amser pan fyddwn ein dau gyda'n gilydd mewn lle dyeithr.'

O.M. at Elin, 1887.

19.   John Edwards. Ar un cyfnod dymunai John fod yn deiliwr ond perswadiodd O.M. ef i ddarllen ac i baratoi ei hun ar gyfer addysg coleg. Bu John yn brifathro yn Nhreffynnon.

'Darllen bob peth, — gwir a chelwydd, uniawngred ac anuniawngred; ac am bob peth, o wirionedd moesol hyd athroniaeth baw, o'r gedrwydden yn Libanus hyd yr hyssop ar y mur; llyfrau pregethau, traethodau. Cadw ddyddlyfr, cei lawer o bleser wrth wneyd. Ysgrifena ynddo beth a welaist, beth a glywaist, beth a deimlaist, beth a feddyliaist. Ynddo cei ddefnydd llythyrau ac areithiau a thraethodau. Os cei ymgom ddifyr, ysgrifena hi i lawr. Os gweli olygfa dlos, darlunia hi yn dy lyfr... Bydd hyn yn ymarferiad gwerthfawr i ti, a chei ddirfawr bleser yn ei ddarllen ymhen blynyddoedd, pan fydd dy feddwl wedi dyfnhau a dy chwaeth wedi ei choethi a'i phuro.'

Cyngor O.M. at ei frawd o Heidelberg, Mehefin 1887.

20/21/22.   Dodrefn Coed-y-pry
          a Chae Rhys.

20.   Hen Fethodist.

'Mewn cornel o'r bwthyn lle
y'm ganwyd saif hen gloc... Y
mae amryw gyfrinion rhwng yr
hen gloc a minnau, er pan fûm
yn syllu gyntaf ar ei wyneb
melyn o'm hen grud derw... yr
oedd defnydd da ynddo wrth
natur — derw o'r iachaf a phres
o'r puraf...'

Clych Atgof

21

20

21.   Y cwpwrdd deuddarn.

'Llyfrgell fechan oedd yng
Nghoed-y-pry, ond darllenid
hi'n fanwl. Yn y cwpwrdd mawr
yr oedd y Beibl, *Esboniad* James
Hughes, *Taith y Pererin*, a Gwaith
Gurnal.'

*Cofiant Owen Morgan Edwards,
W.J. Gruffydd.*

22.   Y dreser.

'Yr oedd y gegin yn llawn o
ddodrefn derw...'

*Cofiant Owen Morgan Edwards,
W.J. Gruffydd.*

23.   Llanuwchllyn.

'Y mae i Lanuwchllyn air ymysg plwyfydd fel magwrle arweinwyr
ymhob da. Pan nad oedd gan athrylith Cymru well gwaith i'w
wneud na chanu gyda'r delyn, yr oedd y cantorion gorau yn
Llanuwchllyn. Pan ymysgwydodd y wlad yn neffroad y Diwygiad i
astudio diwinyddiaeth, yn Llanuwchllyn yr oedd y diwinyddion
gorau... Ac wedi hyn, pan drodd y Cymry'n ôl at yr awen, wedi
puro eu meddyliau wrth ymdrin â diwinyddiaeth, yr oedd
Cymreigyddion Llanuwchllyn yn enwocaf rhai.'

Rhagymadrodd i Rhobet Wiliam, Wern Ddu

22

23

'Fel y mae fy meddwl yn ehedeg yn ol i Lanuwchllyn! Breuddwydiwn am enwogrwydd, yr oeddwn mewn cariad cyntaf a merch y Prys (gwyddwn nad oedd wiw i'm dreio am dani), a darllenwn y Drysorfa fach. Heno dyma fi yn athraw ac yn ddarlithydd yn Rhydychen... ac yn uchel ym meddwl goreuon Rhydychen. — yn ddywediedig i ferch y Prys (nid yr un un, ond yn well a thlysach), ac yn darllen y Drysorfa fach... hiraethaf am fy mam, ac am Lanuwchllyn, y capel, yr hen weinidog, ty to gwellt Coedypry, — dyna'r dylanwadau arosol ar f'enaid i.'

Llyfr Nodiadau O.M., 1888.

24/25. Dwy olygfa, o ben Bwlch y Groes. Cerddai O.M. yn fynych i Fawddwy drwy Gwm Cynllwyd, heibio i Graig yr Ogof a thros Bwlch y Groes.

'Y mae'r olygfa o ben Bwlch y Groes yn ardderchog, haf a gaeaf. Ar un ochr y mae'r Aran frenhinol, ac ar yr ochr arall y mae bryniau afrifed Maldwyn. O'n holau yr oedd Cynllwyd, o'n blaenau yr oedd caeau gwastad Mawddwy ymhell oddi tanom, a mynyddoedd gleision yn ymgodi y tu hwnt iddynt. O'r fan yr eisteddwn i, ni welwn ond y mynyddoedd, yr oedd Mawddwy yn rhy isel wrth ein traed.'

Tro Trwy'r Gogledd

24

25

26

27

saying a good deal, sweet. Ond dydw i ddim yn deyd hynny yn y Goleuad wyddoch. Dydi o ddim iws. Ond rydw i'n *cyfeirio* ato.'

O.M. at Elin o Genefa, Chwefror 1888.

'Safai'r capel ar lan llyn y ffatri, — yr unig lyn o ddwfr tawel yn y plwy i gyd. Yr oedd ei dalcen i'r tywydd, — i'r gwynt ystormus a ruthrai dros y Garneddwen o'r môr, ond yr oedd coed o'i flaen, yn taflu eu cysgodion trosto yng ngwres yr haf... Nid oedd dim hynotach ynddo i estron na'r tai gerllaw; nid oedd iddo ddim tegwch adeiladwaith, — ond mor bwysig ydyw'r hen gapel i fywydau'r rhai a fu ynddo!'

Clych Atgof

26. Rhobet Wiliam, Yr Hen Barch. Ef oedd gweinidog Capel y Pandy, Capel Glanaber, a Chapel Cynllwyd.

'Yr oedd yn dal, y dyn talaf, feddyliwn, a welais erioed... Yr oedd ei ddillad yn dduon, ac yr oedd yr ychydig wyn oedd yn ei wallt hir yn gwneud i'r gweddill edrych yn llawer duach. Ond ei wyneb oedd wedi mynd â'm holl fryd i. Trwyn cam Rhufeinig, — yr oedd mawredd yn yr wyneb; llygaid duon dan aeliau trwchus, — yr oedd yno harddwch hefyd; bochau teneuon, — yr oedd golwg ddieithr ysbrydol arno.'

Rhobet Wiliam, Wern Ddu.

28

27. Hen Gapel y Pandy, Llanuwchllyn

'I'r "Goleuad" a'r "Meirionethshire News" yr wyf yn ysgrifennu y llythyron gore o lawer... Yn un ohonynt y mae darluniau o hen gapel y Pandy. Nid ydych chwi yn cofio hwnnw, a ydych? Yr wyf yn meddwl ein bod wedi symud i'r capel newydd cyn eich geni. Ond yr ydyw i yn ei gofio'n reit dda. Yr wyf yn cofio lle'r oedd set y Prys hefyd. A good reason only, — I was as deep in love with your sister Jane in those youthful days as I am now with Jane's sister. And that's

28. Pulpud Capel y Pandy, un o drysorau teulu O.M.

'Ni ddiflanna'r capel hwnnw, pe bai pob carreg ohono wedi ei throi'n llwch...'

Rhobet Wiliam, Wern Ddu.

29

30

31

29.   Y tu mewn i gapel Glanaber.

'Yr wyf yn awr yn eistedd yn fy hen sedd ar y gallery, tra y mae Robert Williams Wernddu yn rhoddi allan yr emyn — "Dros y bryniau tywyll niwlog."
Yn awr dyna yr hen batriarch yn darllen ei destyn — Heb. II. 3. "Pa fodd y diangwn ni os esgeuluswn iachawdwriaeth gymaint?"'

Dyddiadur O.M., Ebrill 1881.

30.   Capel Cynllwyd.

'Cymerais o'r elfennau, ond nid oeddwn yn teimlo yn hapus iawn yn y Cymmundeb. Cyhoeddodd fy ewythr fi i bregethu heno, yn hollol heb fy nghaniatâd. Eis i Gynllwyd i wrando Robert Williams, ac yr oeddynt yn hynod falch o fy ngweled yno.'

Dyddiadur O.M., Ebrill 1881.

31.   Ysgolion y Llan. Ar y chwith gwelir yr ysgol lle gweithredai Mrs Lewis yr 'hen gyfundrefn felltigedig o gosbi plentyn am siarad Cymraeg'. Ar y dde gwelir yr ysgol lle bu O.M. yn ddisgybl-athro tua 1872-73 cyn mynd i'r Bala i ysgol Tŷ-tan-Domen.

'Yr wyf yn cofio'r ysgol honno'n dda, — y paent melynwyrdd oedd ar ei muriau, y llechau cerrig oerion, y llawr coed treuliedig, y wialen ar y ddesg, y darnau bychain o wydr oedd yn y ffenestri, a'r cloc yr oedd diogi wedi ymglymu am ei fysedd.'

Clych Atgof

32

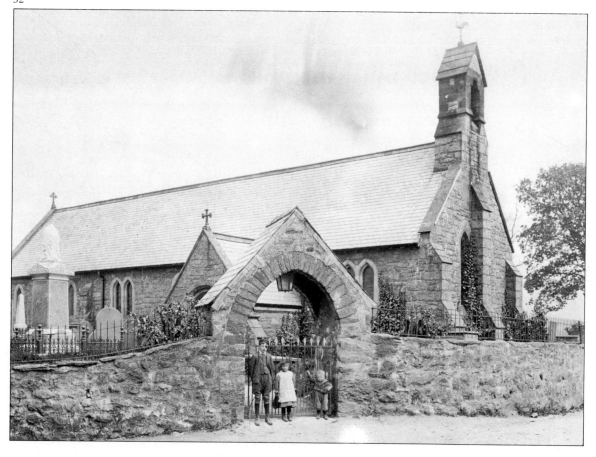

32. Eglwys y Llan, Llanuwchllyn. Tynnwyd y llun gan O.M.

'Y mae fy nhlodi hyd yn hyn wedi bod yn fy erbyn yn ddirfawr, ac yn y dyfodol — am amser maith, — bydd dau beth yn ddirfawr rwystr immi, — Coedypry a hen Gapel y Pandy. Pe buaswn wedi fy ngeni yng Nglanllyn, ac wedi fy nwyn i fyny yn Eglwys y Llan, buase fy nyfodol yn hawdd ac yn sicr yma. Ond, hidia befo, y mae'n werth cael Coedypry, a'r capel i feddwl am danynt, er gorfod gweithio tippyn chwaneg er eu mwyn.'

O.M. at ei frawd o Rydychen, Hydref 1888.

SIR WATKIN WILLIAMS-WYNN,
"THE PRINCE IN WALES."
"I am monarch of all I survey,
My right there is none to dispute."

34. Glan-llyn, cartref Sir Watkin; ac erbyn hyn, wrth gwrs, un o gartrefi'r Urdd.

'Pe buaswn uchelwr, ac wedi cael mantais cyfoeth i ymaddysgu ac i ymwareiddio, yr wyf yn credu y gwelswn goron ddisglair o'm blaen, — coron yn llaw gwerin fwyaf meddylgar a serchog hanes. Yn lle hynny, wele ein huchelwyr yn ennyn gwg y genedl garuaidd trwy anwybyddu ei hiaith, dirmygu ei llenyddiaeth, a gwawdio ei diwygiadau.'

Er Mwyn Cymru

35. Siân Dafydd, Min Afon, un o gymeriadau Llanuwchllyn yng nghyfnod O.M.

'Mae'r hen Bandy wedi newid! Mae mor dawel a thrannoeth pla Llundain yno, ac i wneud y peth yn waeth does fwg yn y felin.

33. Y meistr tir. Cartŵn *Punch* o Sir Watkin, 1820-85. Cyflwynodd O.M. *Tro yn Llydaw* i'r Barwnig.

'. . . y mae'r Cymro eto'n talu rhent uchel am ffermdy adfeiliedig, ac y mae'r Llydawr yn ei dŷ eang dan ardreth deg. . . Yr oedd yn Llydaw werin wedi ei gwneud yn fwystfilaidd gan orthrwm, yn ddigon bwystfilaidd i droi at yr arglwyddi oedd yn gwasgu eu cyfraith ddidrugaredd arni, ac i ddarostwng y rhai hynny i'w dialedd erchyll a'i chyfraith ei hun. . . Ni welir capel yn unman yn nyffrynnoedd ac ar fryniau Llydaw, ac ni welir yno hen amaethwr penwyn yn byw mewn beudy, oherwydd gwrthod ymddangos yng ngwasanaeth dienaid y Llan, neu wrthod dweyd fod rhyw filwriad o Sais yn deilwng gynrychiolydd ei sir Gymreig yn y Senedd.'

Tro yn Llydaw

Begws Shionyn Rhobet a Siani Dafydd erys o'r hen blant... Mae twmpath ysgawn bach yn tyfu eto wrth ddrws ei thy. Dywedodd wrthyf ryw dro, "Wst beth oedd y peth clysa gen dy dad yn y Pandy, ebe fo, — y twmpath 'sgawen yma".'

John, brawd O.M., at Elin, Rhagfyr, 1897.

36. Y Bryn, Llanuwchllyn. Pobl y fferm hon oedd cymdogion teulu O.M. a cheir cyfeiriadau aml at Y Bryn yn ei lythyrau, ac at ei deithiau ar hyd caeau'r fferm.

'Mi ddof adre i Lanuwchllyn i fyw ar fy arian; ac ni wnaf ddim ond ysgrifennu a phregethu a cherdded i'r mynyddoedd... Gwyn fy myd na chawn gychwyn heddyw i fynd drwy gaeau'r Bryn, hyd ochr y mynydd.'

O.M. at ei dad a'i fam, Tachwedd 1890.

37. Yr Aran.

'Dacw'r Aran fawreddog — pe bawn bagan, hi fuaswn yn ei haddoli...'

Clych Atgof

38

38. Llyn Tegid a'r Aran.

'. . . cerddais i lawr i'r Bala ar
fin yr hwyr gyda glan y llyn, ac
O! fel yr oeddwn yn diolch i
Dduw o galon lawn am y
golygfeydd a'r llyn a'r Aran.'

*Llyfr Nodiadau O.M., Gorffennaf
1881.*

39

40

39.   Band y Llan, Llanuwchllyn, 1880.

'Mae'r Brass Band i'w clywed yn chware'n glws iawn oddi yma.'
Elin at O.M., Mai 1890.

40.   Pont y Pandy, Llanuwchllyn.

'Yr wyf yn falch iawn o'r pictiwr brynnais i gan y dyn hwnnw. Nid oes dim yn rhoi mwy o bleser i mi nag edrych arno. Yr wyf wedi rhoi fframgrand am dano. A dyma hen bont y Pandy, fel y hi ei hun o'm blaen. Welsoch chwi erioed beth tlysach na'r pictiwr, wedi ei roi mewn ffram iawn. Byddaf yn edrych arno o hyd, — y mae fel taswn i'n gweled y bont, a'r odyn, a chae'r Ceunant, drwy ffenestr. Byddaf yn edrych arno yfory tua hanner awr wedi chwech, — ac yn meddwl y gwelaf chwi'n pasio tros y bont, y naill ar ol y llall. Byddaf yn dychmygu gweled het jim cro nhad, a'i got ddu, a'i goler wen, a'r hen ambarelo llwyd tan ei gesel. A byddaf yn dychmygu gweled mam yn cerdded yn gam, ar ei ol.'

O.M. at ei dad a'i fam, 1891.

41

42

41. Coed Siambre Duon.
Enciliai O.M. yn aml i
dawelwch y coed er mwyn cael
llonydd i ddarllen ac ysgrifennu.

42. Brynmelyn, Llanuwchllyn.
Yma y ganed J.R. Jones,
Ramoth. Hoffai O.M. gerdded
drwy Gwm Cynllwyd i fyny at
fferm Brynmelyn, a chyn
diwedd ei oes daeth yn berchen
arni. Yn ei lyfrau nodiadau ac yn
ei lythyrau ceir cyfeiriadau cyson
at Brynmelyn.

'After breakfast I went as far as
Corlan Brynmelyn, then
through Pwll Cynhebryd, back
over Bwlch y Gareg. I never had
so beautiful a view of Bryn-
melyn as it today presented,
with the blue Aran appearing
through the dark, green foliage
of its trees.'

Llyfr Nodiadau O.M., Hydref 1878.

43

43. O.M. yn un-ar-bymtheg.

'Gwallt du fel y fran a llygaid tywyllion iawn. Gwyneb gwelw gyda thon felynaidd ysgafn, hollol ddi-wrid, a thonen ledraidd, ond ystwyth iawn, i'r croen. Gwyneb bychan prydferth odiaeth i'm tyb i, a direidi yn chwarae o bob cwr ohono... Yr oedd ei wisgiad yn hynod o hen ffasiwn... Ei gôt a'i wasgod o liw tywyll, ac yn ymddangos fel pe wedi ei gwneud o ddillad hynach nag ef... 'Rwy'n ofni weithiau y gall mai ôl doniau un o deilwriaid gwreiddiol Llanuwchllyn ar frethyn newydd oedd y siwt y soniaf amdani.'

D.R. Daniel, Cymru LX (1921)

44. Ysgol Tŷ-tan-Domen, y Bala. Bu O.M. yn ddisgybl yma yn 1874.

'Ni chefais i ddim daioni yn Ysgol Tŷtandomen fel ysgol, ond a ges o gwmni rhai o'r bechgyn.'

O.M. at ei frawd Edward, Hydref 1887.

'Y mae'n adeilad bychan destlus, a golwg ysgol arni. Dacw'r cyntedd o'i blaen, a'r coed a fu'n cysgodi llawer cenhedlaeth o efrydwyr gramadeg Lladin, a'r gloch. Dacw'r arwyddair hefyd wedi ei dorri mewn carreg felen, — "Heb Dduw, heb ddim".'

Clych Atgof

44

45. Un o'r hen fythynnod gwyngalchog a erys wrth bont Tryweryn heddiw, 'allan o dwrw'r dref'. Bu O.M. yn lletya yn 'Bridge Cottage' ger y bont pan oedd yn ddisgybl yn Ysgol Tŷ-tan-Domen. Cafodd y bwthyn ei ddymchwel pan adeiladwyd y rheilffordd.

'Beth ydyw cysegredigrwydd atgofion hanes i gwmni ffordd haearn?'

Clych Atgof

46. T.E. Ellis yn fyfyriwr ifanc. Cyfarfu O.M. â T.E. Ellis am y tro cyntaf ar un o fynyddoedd Meirionnydd pan oedd y ddau ohonynt bron yn ddeuddeg oed. Bu'r ddau yn gyfeillion agos tan y bu Tom Ellis farw yn 1899.

'Bachgen glanwedd, tal o'i oed, llygadlas, a gwallt golau oedd... Yr oedd rhywbeth yn ddeniadol ryfeddol ynddo, rhyw frwdfrydedd plentynnaidd a agorodd bob peth yn fy nghalon i iddo ar unwaith... Ymhen ychydig yr oeddwn gydag ef drachefn yn ysgol y Bala, — mi'n *new boy*, ac yntau'n *headboy*. Ni fu erioed fachgen caredicach, mwy parod ei gymwynas.'

O.M., Cymru XVI (1899)

47. D.R. Daniel, Tom Ellis, ac O.M. Tri ffrind o ddyddiau Ysgol Tŷ-tan-Domen, Y Bala.

'... bu ef a D.R. Daniel a minnau yn crwydro, yn trefnu pethau rhyfedd, ac yn breuddwydio pethau rhyfeddach.'

O.M., Cymru XVI (1899)

48. Eglwys Llanycil. Wedi diwrnod o waith yn Ysgol Tŷ-tan Domen fe âi tri disgybl, O.M., Tom Ellis a D.R. Daniel, i fynwent Llanycil i ymlacio.

'O mor bell yn ol yr edrych ein crwydriadau difyrlawn i lan llyn Tegid... yr ymgomio am lenyddiaeth a hanesiaeth tra yn eistedd yn unigedd prydnawnol mynwent Llanycil.'

D.R. Daniel at O.M., Tachwedd 1887.

48

49

50

49. Canmoliaeth uchel i S. Maurice Jones am ei ddarlun o hoff fangre O.M.

'Ni fûm yn yr eglwys hon erioed heb benderfynu cael diwrnod cyfan i'w dreulio yn ei thawelwch hafaidd, gan dybied fod dwyster y fan fel cawod o fendith i'r meddwl lluddiedig a therfysglyd.'

Clych Atgof

50. Y ffordd o Lanuwchllyn i Langywer a'r Bala.

'Deuai i'r Bala o Lanuwchllyn ar fore Llun, gan gerdded gyda min y Llyn... tua milltir a hanner... a'i fasged ysgwar gyda gwryddyn i'w fraich fynd drwyddo, canys dygai, fel gwnae plant y wlad, angenrheidiau ei fwrdd hyd ddydd Sadwrn gydag ef.'

D.R. Daniel, Cymru LX (1921).

51

52

53

51. Coleg y Bala. Bu O.M. yn fyfyriwr yno o 1875 tan 1880.

52. Llys Meirion, Mount Street. Yma yn nhŷ John Jones y nyddwr y bu O.M. yn lletya yn ystod ei gyfnod fel myfyriwr yng Ngholeg y Bala. Mae Llys Meirion o fewn un drws i Mount Place, cartref Puleston.

'Do'n wir, wrth gofio, mi gefais y scarlet fever pan oeddwn yn y Bala, yn nhy John Jones y nyddwr, a bum yn fy ngwely am rai diwrnodau. Y mae'n chwith gennyf feddwl fod Mrs Jones wedi marw, bu fel mam i mi.'

O.M. at Elin, Chwefror 15 1891.

54

55

53.   Athrawon a myfyrwyr Coleg y Bala, 1876. Mae O.M. ar y chwith yn y rhes waelod.

'Edrychai yn fachgennaidd iawn ymhlith myfyrwyr y Coleg, amryw ohonynt tua phump ar hugain oed o bosibl, ac yn wŷr barfog.'

D.R. Daniel, Cymru LX (1921).

54.   Athrawon a myfyrwyr Coleg y Bala, 1878. Ar ben y llun gwelir y Prifathro Lewis Edwards ac Ellis Edwards ar y chwith. Hugh Edwards sydd ar y dde ac islaw y Prifathro mae Evan Owen y Llyfrgellydd. Yn union islaw Evan Owen gwelir O.M.

55.   Ellis Edwards, Coleg y Bala.

'. . . Ellis Edwards made me love beauty and gave me enthusiasm.'

Dyddiadur O.M., Chwefror 1883.

'. . . I am very glad to have been of help to you, and not a hindrance, and especially glad to think that any little you have received through me is going to be put eventually on the big Altar. Go on to more, not because winning scholarships and prizes and First Classes will be much, but because all will be so little for your great work. This thought will help to keep away pride and the corrupting influence of competition.'

Ellis Edwards at O.M., Gorffennaf 1881.

56

57

58

Having known Mr. Owen Edward
for many years, I have much
pleasure in bearing my
testimony to his character
as a diligent student,
and a truthful young
man. He leaves Bala
with our best wishes.
Bala   Lewis Edwards
Sep. 8, 1880.

56. Hugh Williams, Coleg y Bala.

'Ysgolhaig yn yr ystyr fwyaf academig oedd Dr Williams... ac nid ymddengys iddo gyffwrdd â dychymyg ei ddisgybl... Nid oedd gan y Dr Williams ddiddordeb o gwbl mewn llên fel artistri... ac ni allai dyn o'r fath gael llawer o ddylanwad ar fywyd y bachgen dychmygus meddwl-droeog a oedd hyd yn hyn yn dal i ddarllen llenyddiaeth fel y dylid ei darllen, er mwyn pleser ac nid er mwyn budd.'

Cofiant Owen Morgan Edwards, W.J. Gruffydd.

57. Darlun olew o Dr Lewis Edwards, Prifathro Coleg y Bala yng nghyfnod O.M.

'The unveiling of the Dr's painting takes place today. I was one of those who had been asked to tea at the Dr's as well as to see the unveiling... However I preferred the green slopes... to the glare and din of Bala and so stayed at home... Grey said to me "Mae Owen Edwards yn indepdendent, boys, yn hidio dim yn y te na'r shou".'

Dyddiadur O.M., 25 Medi 1877.

58. Tysteb Lewis Edwards i O.M. ar ei ymadawiad â'r Bala, 1880.

59

60

59. Michael D. Jones. Yn *Clych Atgof* ceir cyfeiriad at 'het lwyd uchel' Michael D. Jones ac at ei ddillad 'wedi eu lliwio yn yr hen ffasiwn â chen cerrig.'

'Cefais yn ei gwmni beth na chefais yn yr un ysgol nag yn yr un coleg y bûm ynddynt erioed, — serch goleuedig at hanes a iaith Cymru, a chred diysgog yn y gallu grymus sydd wedi cael yr enw 'Cenedlaethol' wedi hyny.'

O.M. at Pan Jones. Cyhoeddwyd y llythyr yn Oes a Gwaith Michael D. Jones, 1903.

60. Tocyn Aelodaeth O.M. o 'Gymdeithas Bechgyn tref y Bala'.

'Peth dieithr iawn ydyw gweled gwynebau cymaint o hen gyfeillion — rhai na welais i mohonynt er yr adeg y buom yn cyd-rhedeg ar ol y bel yn y Grîn, yn cyd-waeddi duwinyddiaeth yn Sasiwn y Plant, ac yn cyd-ochain wrth gyd-ysgrifennu *lines* yn hen ysgol Ty tan Domen.'

Rhan o anerchiad O.M. i Gymdeithas Bechgyn y Bala, Rhagfyr 1888.

61

61.   Y Stryd Fawr, Y Bala. Bu O.M. yn lletya yn rhif 102 yn ystod Awst 1882.

'Bala once again. And I am glad to be here. At Aberystwyth, beautiful as it is, my heart was always here.'

Dyddiadur O.M., 1882.

62.   Y cerdyn di-enw a anfonwyd at O.M. ar ei ben-blwydd yn un-ar-hugain, 1879.

62

63

63.   Coleg Aberystwyth. Bu O.M. yn fyfyriwr yma o 1880 tan 1883.

'Yr ydwyf yn byw mewn lle cysurus iawn, y mae genyf ystafell fawr i mi fy hun, ar y drydedd loft, ac un ochr i mi y mae R.P. Hughes fy hen gyd-ysgolor yn y Bala, ar yr ochr arall D.E. Jones (o Goleg y Presbyteriaid Caerfyrddin) Waller (o Sir York), a T.B. Williams (Llanybyther), ac yr ydym yn byw yn gymdogol iawn, yn deffro ein gilydd at amser brecwast trwy gicio'r drws yn y dull mwyaf soniarus, yn cario llythyrau ein gilydd i fyny, yn uno mewn ffrwgwd a rhai o fechgyn y coridors eraill fydd yn gwneud rhuthriadau i ladratta ein heiddo, ac felly yn y blaen. Yr ydym yn cael bwyd da, ac yr ydwyf fi yn cael iechyd rhagorol i weithio.'

O.M. at ei frawd, Hydref 1881.

64.   Sea View Place, Aberystwyth, oddeutu 1880. Aeth O.M. i aros am gyfnod at Miss Keeling yn 1,Sea View Place.

'Yr wyf yn amgau darlun o ran o dref Aberystwyth i ti gael rhyw syniad am y lle yr wyf yn byw ynddo. Oddidan 1 gweli gastell Aberystwyth; oddidan 2 yr eglwys, oddidan 3 y coleg. Rhwng 1 a 2 wrth droed yr hyn lle mae'r castell arno gweli res o dai yn wynebu i'r porthladd, bedwar ohonynt. Y rhai yma yw "Sea View Place", ac yn No 1. wrth ben yr hwn yr wyf wedi rhoddi yspotyn o inc yr wyf yn ysgrifennu atat.'

O.M. at ei frawd John, 1880.

64

65

65. Thomas Charles Edwards, Prifathro Coleg Aberystwyth yng nghyfnod O.M.

'Last afternoon, for the first time in my life, I went out for a two hours' walk with the Principal up to Pen Dinas... I am sorry for him, he is very fond of religious meetings, and his place is entirely there. Here he is a stranger to professor and student... and yet there is a deal of good in him. But his character is an entire mystery to me.'

Dyddiadur O.M., Mai 1883.

66. Daniel Silvan Evans. 'Yr hen athro tal, llygadlon, difyr.'

'Yr un a fu â mwyaf o ddylanwad arnaf fi oedd Daniel Silvan Evans... Gwnaeth inni gymryd diddordeb yng ngeiriau'r iaith Gymraeg ac yn enwedig yn ei geiriau llafar a'i geiriau gwerin. Dangosodd inni fod gogoniant lle y tybiasom nad oedd ond gerwindeb gwerinol o'r blaen. O dipyn i beth cawsom gipolwg yn awr ac yn y man ar ysblander ei chyfoeth.'

Clych Atgof

66

67

HENRY JONES.
ATHRAW ATHRONIAETH YN MHRIFYSGOL GLASGOW.
(Yr darlun gan J. Wickens, Bangor.)

67. Henry Jones, darlithydd mewn Athroniaeth yn Aberystwyth. Bu O.M. a Henry Jones yn ffrindiau agos.

68. Dr Hermann Ethé.

'Yr oedd athro arall, Almaenwr o genedl, yn darlithio ar lenyddiaeth Ffrengig, a gwnaeth oes a meddyliau cyfnod aur Ffrainc yn fyw iawn i ni.'

Clych Atgof

69. R.W. Genese (ar y dde), yr Athro Mathemateg.

'He is a strange man, always meaning to do well... having good jokes, yet spoiling them in the delivery; always meaning the best to everybody but always unfortunate... Handsome, hesitating, captious, with queer notions of "dignity", yet always falling below it.'

Disgrifiad O.M. o'r Athro Genese, 1883.

68

69

70

70. Yr Athro J.M. Angus.

'Kind easy-going Angus...
Exquisite taste, poet and scholar;
too indolent to do anything. His
lectures are as interesting as
Dickens' novels if read aright,
but then he is so sleepy.
Exceedingly gentlemanly and
kind.'

Dyddiadur O.M., Mehefin 1883.

71

71. Tîm Pêl-droed Coleg Aberystwyth, 1881. Saif O.M. (yr ail o'r dde) yn ei drowsus llaes a'i *'jersey* yn ffitio yn dyn.'

'Er mwyn cadw fy hen gorph mewn trim yr ydwyf wedi cael *jersey* yn ffitio yn dyn, ac yn cicio'r bel droed gydag awch. Dr Hughes a'm rhybuddiodd i wneyd, ac yr wyf yn teimlo effaith daionus yr ymarferiad yn barod... Yr wyf yn rhoi perffaith gyfraith rhyddid i *ti* chwerthin am fy mhen yn y darlun hwn, ond er mwyn pob peth paid ei ddangos i neb arall.' *O.M. at ei frawd, Hydref 1881.*

72. Rhan o un o lythyrau O.M. o Aberystwyth at John ei frawd, 1880. I ddifyrru John, gludiodd O.M. adar lliwgar ar y papur ysgrifennu.

'Wel dyma fine yn anfon gair atat ti gyda'r adar yma, gan obeithio y cant di yn iach.'

O.M. at John, Rhagfyr 1880.

73. Dau ffrind. O.M. ac Ifan T. Davies.

'We two have been to the photographers... intending to be taken together. I have been to this artist before, I had to sit seven or eight times, and the last is not at all satisfactory. Where is the difficulty — is it with my ugly mug or with his confounded art? I have been driven out of all patience with it, and it will be very long before I subject myself to be photographed again.'

Dyddiadur O.M., Medi 1881.

'Dyma finnau o'r diwedd yn ymysgwyd o'r llwch i ysgrifennu gair atat, a'r peth cyntaf a wnaf yw diolch i ti am dy lun. Yr wyt yn edrych yn fwy sobor o lawer nac Evan.'

John at ei frawd, O.M., 1881.

72

73

74

74. Tŷ'n Llechwedd, Parc, y Bala. Etifeddodd O.M. y fferm pan oedd yn fyfyriwr yn Aberystwyth.

'Your uncle has left a small farm between you and your mother called Tynllechwedd... in addition he has left you his books... and a good part of his effects have fallen to your share.'

Evan Jones, y Bala at O.M., Mai 1883.

75. Llun a dynnwyd i'w anfon at Jennie Jones, merch o Lower Bar, Newport, Salop.

'I am sorry I did not send my photo sooner, it was not my fault, it was only this morning I had it. The less said about it perhaps, the better; but I have by this time come to the conclusion that a young lady who mistook me for a Jesuit was quite right when she said that I was horribly ugly, and I have resolved never to let a photographer make ugly pictures again in order to please me.'

O.M. at Jennie Jones, Lower Bar, Newport, Salop, Hydref 1881.

76. Llun a anfonodd O.M. at Ellen Hughes, merch tafarn y 'Goat', Llanuwchllyn.

'Seeing that these troublesome photos were so badly taken I had made up my mind not to trouble you with so much ugliness, still the desire of getting yours makes me overlook everything and send one just as it is. Though I would need no picture to make me think of you, at the same time I should like to have one. I hope you will send one, and that I can tell you when we meet next how glad of it I was and (don't laugh at my moonish quotation) in looking at it
"How my fancy often sported
In thy beauty's sunny beam." '

O.M. at Ellen Hughes, Tachwedd 1881.

75

76

77. Capel y Tabernacl, Aberystwyth. Ar y Sul addolai O.M. yn y Tabernacl ac yn Seilo.

'Did not get up till 8.30. Read...the 119th psalm, then went to Tabernacl to hear Mr Levi, whose simple style I like well. My eyes and heart were divided I am afraid between the Sermon and Miss Edwards (the Great Darkgate St. girl's) black eyes.'

Dyddiadur O.M., Sul, 20 Mawrth 1881.

78. Craig yr Ogof ('Constitution Hill'), 'hyfrydle' O.M. yn Aberystwyth.

'Meddwl am graig yr Ogof a'r mor yn ymguro gyda rhu dwfn ar ei gwaelod, gyda llwybr ar hyd ei lan, a chei ddrychfeddwl go dda am fy *walk* feunyddiol. Ar un ochr i'r bau gwelir Ceredigion — Llanrhystud, Llanon, Ceinewydd, Aberteifi; ar yr ochr arall mynyddoedd gleision Meirionnydd ac Arfon. Dyma fy hyfrydle yn yr wythnos, a'm teml ar y Sabbath.'

O.M. at ei frawd Ned, Hydref 1880.

80

University College.
Aberystwyth.

Deb. 3, 1883.

I have pleasure in stating that Mr. O. M. Edwards is a student of this College and that his conduct has been uniformly satisfactory.

T. C. Edwards,
Principal, &c.

81

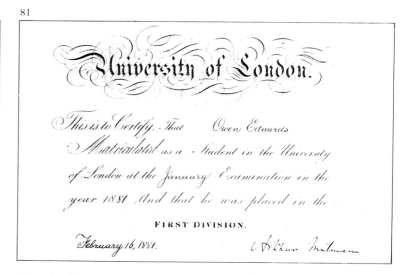

University of London.

This is to Certify, That   Owen Edwards
Matriculated as a Student in the University
of London at the January Examination in the
year 1881 And that he was placed in the

FIRST DIVISION.

February 16, 1881.   Arthur Milman

79. Rhodfa'r Môr, Aberystwyth.

'Wedi'r arholiad fe'm cefais fy hun yn crwydro'n rhydd ar Rodfa'r Môr, ar ddydd hyfryd ym Medi. Anghofiais mai nid yng Ngogledd Cymru yr oeddwn, a theimlais mai dyma'r lle mwyaf gogoneddus a welais erioed.'

Clych Atgof

80. Tysteb gynnil T.C. Edwards ar ymadawiad O.M. â Choleg Aberystwyth, 1883.

81. 'First Division.' Tystysgrif Prifysgol Llundain, 1881. Yn 1882 bu yn Llundain yn sefyll arholiad mewn Llenyddiaeth Saesneg, ac ymddangosodd ei enw yn rhestr y 'First Division' unwaith yn rhagor.

'Yr wyf newydd fod yn Burlington House yn gwledda fy llygaid a golwg ar yr enw "Owen Edwards, University College of Wales" yn y *First Division*'.

O.M. at un o'i frodyr o'r Amgueddfa Brydeinig, Awst 1882.

82. Mount Place, Bala, ar werth, 1988. Hwn oedd cartref John Puleston Jones ac yr oedd O.M. yn ymwelydd cyson yno. Aeth O.M. a Puleston i Brifysgol Glasgow yn 1883. Yno bu O.M. yn gymorth i'w ffrind, a oedd yn ddall, a thalwyd am addysg y ddau yn Glasgow a Rhydychen gan Evan Jones, tad Puleston.

'I am glad you have written fully with regard to your own and John's future course. I will fall in with the plan sketched out in your letter and find the necessary funds for you both to go through your course at Glasgow and Oxford. I shall leave the proportion of the money that you will pay me back on entirely a matter of honor between you and me as I have implicit faith in your honesty, the work that John will have to do will be great and I am sure he would not work as well with any other help as he would with you. The life Policy I will maintain during your college courses and you can either continue it afterwards or sell it at the end.'

Evan Jones at O.M., Medi 1883.

83. Ffrind oes. John Puleston Jones.

84. Prifysgol Glasgow. Yn 1883 bu O.M. a J. Puleston Jones yn astudio Saesneg ac Athroniaeth ym Mhrifysgol Glasgow.

'I came up to Glasgow a materialist and a sceptic, true that I had been struggling through materialism and scepticism, but in utter weariness I had fallen back to them. There was nothing in me to keep my life pure, but a kind of natural shyness and weariness of spirit. I shudder as I think how easy to me during the time I spent in London and the first few weeks at Glasgow, it would have been to sully or for ever to deface the purity of my character by once beginning a career of sensual pleasure. When a boy I used to shudder safe in bed at the gorges I had crossed by means of fallen trees, at the mountains I had climbed and the rocks I had descended; so I shudder now, after learning from their own lips the piteous story of more than one Scotch student, who in their period of disintegration gave the reign to their sensual nature. Thank god for the beauty of nature and thank god for Edward Caird.'

Dyddiadur O.M., 1884.

85. Clarendon Street, Partick, Glasgow. Yma, yn Rhif 10, y lletyai O.M. a Puleston Jones.

'Our landlady, was the personification of Scottish thrift and honesty. Our sitting room was comfortably furnished, with a blazing fire whenever we came in, our meals were nicely served for Scotland, the cleanliness and neatness of our bedroom made us forget the smoke and rain outside.'

Dyddiadur O.M., 1884.

86. Yr Athro Edward Caird, Prifysgol Glasgow.

'Bu ei athroniaeth yn fywyd meddyliol i mi; yr oeddwn wedi gweled trwy yr "English" materialistic philosophy cyn myned ato, ond nid oeddwn wedi cael gafael ar ddim gwell, ac yr oedd Herbert Spencer a'i gyffelyb wedi dinystrio pob peth oedd genyf cynt. Y mae Paul a Shakespeare a Goethe a Wordsworth a Caird a'r penillion Cymreig o'r un feddwl am fywyd yn union.'

O.M. at ei gefnder Evan, Rhagfyr 1889.

84

85

86

87

88

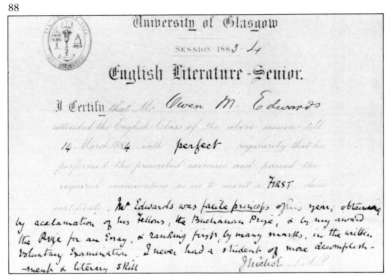

University of Glasgow

SESSION 1883-4

English Literature - Senior.

I Certify that Mr Owen M. Edwards attended the English Class of the above session till 14 March 1884 with *perfect* regularity that he performed the prescribed exercises and passed the required examinations so as to merit a FIRST class certificate. Mr Edwards was *facile princeps* of his year, obtaining by acclamation of his fellows, the Buchanan Prize, & by my award the Prize for an Essay, & ranking first, by many marks, in the written voluntary examination. I never had a student of more accomplishment & literary skill
J. Nichol, L.L.D.

89

87. J. Nichol, Athro Saesneg O.M. yn Glasgow.

'Y mae Nichol yntau hefyd wedi gwneyd sylwadau ar fy ysgrifeniadau nes peri i bedwar cant o draed guro'r llawr. Cefais i a Phuleston wahoddiad at y gwr hwn i giniaw un noswaith i gyfarfod rhyw hanner dwsin o senior men y Brifysgol; yr *oedd* yno fwyd a phob peth ar gyfer bywyd, — y cig a'r pysgawd a'r ffrwythau a'r gwin a'r whisci, "gwledd o basgedigion, gwledd o loyw win". Nyni ein dau oedd yr unig ddirwestwyr oedd yno, ond yr oedd yn bleser i mi weled y gwin coch yn dawnsio yn y gwydrau, ac fel pe'n cochi a gwenu wrth i ddyn edrych arno.'

O.M. o Glasgow at Ned ei frawd, Nos Nadolig, 1883.

88. Yr Athro Nichol yn canmol O.M., 1883/4. 'I never had a student of more accomplishment and literary skill.'

89. Rhydychen.

'. . . buan y deëllais fod gweled Rhydychen yn addysg.'

Clych Atgof

90

Edwards, Owen M

not yet a Member of the University, having been examined in

Aschylus, Agam. Choeph; An 2-6
Euclid

on September 27   1884, and having satisfied the

Masters of the Schools, is hereby excused from Responsions.

F. de Paravicini.

Geo. Res. Snell.

Robert Ewing

Masters of the Schools.

90.   Tystysgrif allweddol ar gyfer mynediad i Balliol. Ym mis Mehefin 1884, aeth O.M. i Rydychen i sefyll arholiad a elwir yn 'Responsions'. Roedd yn aflwyddiannus, ac yn yr Hydref safodd arholiad arall 'in lieu of Responsions'. Bu'n llwyddiannus y tro hwn, a derbyniodd y dystysgrif hon. Pan aeth i Balliol anghofiodd hi yn Llanuwchllyn.

'A fyddi cystal a gyrru i mi *heddyw*, bydd yn rhy hwyr dydd Llun, bapur o'r natur ganlynol;
Papur gwyn Saesneg, certificate ydyw fy mod wedi pasio yr "examination in lieu of Responsions", ac y mae y geiriau "Aesch, Ag" a "Verg. Aen I-V" a "Euclid I-II" arni, ac y mae wedi ei segnio gan dri arholwr, Ewing ydyw un enw yr wyf yn meddwl. Cei hi yn yr envelope glas lle yr ydwyf yn cadw fy London certificate, mewn un o'r boxes tin neu yn y bookcase yn y siambar.'

O.M. at ei frawd, Mai 1885.

91.   Coleg Balliol.

'Yr ydwyf yn aros yng ngholeg Balliol, un o'm hystafelloedd yn agor ar *quadrangle* ardderchog Balliol, a'r llall ar un o ystrydoedd prydferthaf y byd, y mae cofgolofn y Merthyron o fewn ychydig latheni i ffenestr fy ystafell wely.'

O.M. at ei frawd Ned, Mehefin 1884.

91

92. Benjamin Jowett, Pennaeth Coleg Balliol. Bu Jowett yn gyfeillgar iawn tuag at O.M., ac aeth y ddau ohonynt ar wyliau i grwydro bryniau Malvern. Bu'r llun yma yn addurno cartrefi O.M., ac ynddo y mae Jowett yn dal copi o'i gyfieithiad, *The Dialogues of Plato* (1871). Rhoddwyd y llyfr hwn yn wobr i O.M. pan ddaeth yn gyntaf yn y dosbarth Athroniaeth ym Mhrifysgol Glasgow yn 1884.

'At fywyd y byd hwn y mae Jowett yn addasu ei fechgyn, gwelid hynny yn eglur oddi-wrth ei *inaugural sermon*, — "We often hear sermons on the uncertainty of life, it is well that we should be reminded now and then of the solemn thought of the comparative certainty of it." '

O.M. at ei gefnder Evan, Rhagfyr 1884.

93. Tystysgrif ymaelodi, Prifysgol Rhydychen. Arwyddwyd y dystysgrif gan Jowett, yr Is-Ganghellor.

94. Gorymdaith yn gadael Coleg Balliol am Theatr y Sheldonian, 1886. Bu O.M. yn fyfyriwr yng Ngholeg Balliol o 1884 tan 1887.

92

'Chwarae teg i Jowett... y mae wedi gwneyd Balliol y coleg goreu yn Rhydychain, y mae yn anhaws myned i mewn nag i un coleg arall, ond rhoddir pwys ynddo ar bob math o dalent, — talent at lenyddiaeth ac hyd yn oed at gerddoriaeth. Rhoddir ynddo hefyd fwy o ryddid cred nag yn un o'r colegau ereill... yn Balliol os bydd rhywbeth ynot ti cei gyfeillion faint fyni, a'r rhai hyny yn werth eu cael. "Intellectual pride" ydyw pechod mawr Balliol, "the free-thinking college" ydyw gair ei elynion...'

O.M. at ei gefnder Evan, Rhagfyr 1884.

93

OXONLÆ, TERMINO MICHAELIS, A.D. 1884.

Die XV Mensis Octobris

QUO die comparuit coram me Owen Morgan Edwards è Coll. Ball. Gen Fil. et admonitus est de observandis Statutis hujus Universitatis, et in Matriculam Universitatis relatus est.

B Jowett

Vice-Cancellarius.

94

95

96

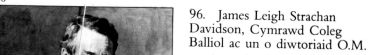

96. James Leigh Strachan Davidson, Cymrawd Coleg Balliol ac un o diwtoriaid O.M.

'The professors have been exceedingly kind to me, I breakfasted last week with Forbes... I dined with the cultured Strachan Davidson.'

O.M. at ei frawd, Hydref 1884.

97. Llythyr at O.M. yn Rhydychen oddi wrth ei fam.

98. Syr John Rhŷs.

'Yn Jesus y mae Rhys yn darlithio, un rhadlon cymdeithasgar iawn ydyw Rhys ac yr ydwyf yn bur hoff o hono. Darllenais Iarlles y Ffynnon gydag ef y term hwn... Bwriadaf wneyd tipyn o Wyddeleg y flwyddyn nesaf.'

O.M. at ei gefnder Evan, Rhagfyr 1884.

95. A.L. Smith, Tiwtor Hanes Coleg Balliol.

'... my history tutor A.L. Smith, the greatest man in Balliol, next to the Master himself.'

O.M. at ei frawd, Hydref 1884.

97

98

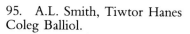

'Bum yn fy ngh'hinio gyda'r Proffeswr Rhys ddoe, yr wyf yn mynd i Goleg Ioan i giniawa gyda'r Esgob dydd Sul. Ond buase'n gan gwell gen i gael dod i fyny i'r Ysgol Sul i Goedypry, a chael cerdded fy hun gyda godre'r caeau. Mae dail y coed ar y llwybrau, mi wn.'

O.M. at ei fam, Hydref 1888.

99. 45 Marston Street, Rhydychen. Yma y bu O.M. yn lletya yn 1884 ar ddechrau ei yrfa fel Ysgolor Brakenbury yng Ngholeg Balliol.

'Gyda Chymraes o Feumaris yn Sir Fon yr wyf yn lletya; a mor bell ag y medraf fi weled, y mae yn garedig a gonest . . . Y mae arnaf hiraeth am gartref hefyd, hiraeth am de gan mam yn y prydnawn. Nis gwyr y Saeson yma beth ydi te fel ein te ni; — brecwast, lunch, a chinio, dyma eu prydau hwynt; nid ydyw te yn ddim ond cael un gwpaned bach i'w ddal yn dy law ond dim byd hefo hi.'

O.M. at ei dad, Hydref 1884.

100. Llythyr oddi wrth ei dad. Pam felly'r groes ar y dystysgrif geni?

99

101

100
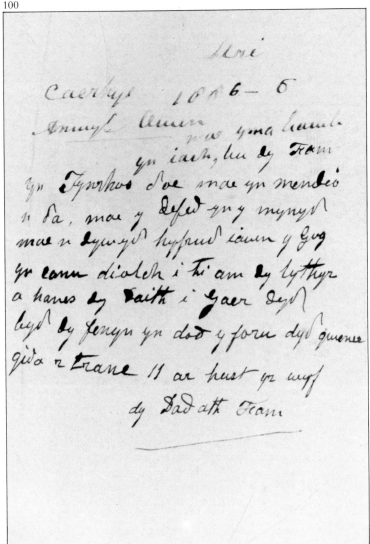

102

D.M. Jones; D. Lleufer Thomas; Edward Anwyl; T.G. Owen; John Morris Jones;
W.D. Roberts; J. Puleston Jones; J.O. Thomas;
Llewelyn Williams; Yr Athro Rhŷs; Owen Edwards.

101.   15 Museum Terrace, Rhydychen (y tŷ cyntaf ar y dde).
'Museum Road' y gelwir y stryd hon heddiw, a bu O.M. yn
ymgartrefu'n hapus yma, o dan ofal haelionus Mrs Sarah Day. Yn
ystafell O.M. yn y tŷ hwn y cynhaliwyd cyfarfod sefydlu
Cymdeithas Dafydd ap Gwilym, 6 Mai 1886.

'Y mae Mrs Day yn ofalus iawn o'm tippyn pethau, yn gynnil, ac
yn garedig rhyfedd wrthyf.'

O.M. at ei fam, Hydref 1888.

102.   Y llun cyntaf o Gymdeithas Dafydd ap Gwilym, 1886/1887

'Y mae gennyf hefyd "Dafydd ap Gwilym Society" ar droed, y
gymdeithas i gynnal ei chyfarfodydd yn Gymraeg. Y mae yma lawer
o Gymry hen ffashiwn edmygwyr Kilsby a Michael D. Jones, ac y
mae yn resyn iddynt orfod treulio eu nos Sabbathau mewn
"Browning" a "De Quinsey" Societies.'

O.M. at ei gefnder Evan, 1886.

'Teimlem mai da fyddai cymdeithas hollol amholiticaidd a dienwad,
cymdeithas fechan, i ymddifyrru gyda llenyddiaeth Gymreig, ac i
gyfarwyddo pob dyfodiad o Gymro welid yn Rhydychen.'

O.M., Cymru XXVI (1904).

103

103. Yr ail lun o Gymdeithas Dafydd ap Gwilym.

'A chyda hyn, daw un o fy nisgyblion yma i gael gwers ar athroniaeth y wladwriaeth... Gydag iddo ymadael bydd bechgyn Cymdeithas Dafydd ap Gwilym yn dod i mewn, achos yma y cyfarfydd y gymdeithas heno. Bydd John Rhys yn y gadair, a'r aelodau'n adrodd ystraeon ac yn canu, — "Pawb a'i bennill yn ei gwrs". Heblaw croesawu a dweyd straeon, bydd gen i waith mawr i wneyd te a choffi, — dyma'r gosp am fethu cael gwraig. Cymdeithas ddifyr, ddifyr ydyw hon. Yng nghanol y spri a'r llawenydd caf amser i feddwl am danoch, ac i ddyfalu beth ydych yn wneyd heno... Hwyrach y bydd pobl Dafydd ap Gwilym yn meddwl mai hwy fydd yn fy ngwneud mor hapus.'

O.M. at Elin, Chwefror 1889.

104. Ennill gwobr Stanhope, 1886. Dyfarnwyd y wobr iddo am ei draethawd 'The Influence of Machiavelli on Political Theory in England in the XVIth Century'.

104

Anwyl Dad,
    Yr wyf wedi enill y 'Stanhope'.
Ugain punt mewn llyfrau ydyw ei
gwerth; ond o ran yr anrhydedd sydd
ynglyn a hi nid ydyw fy ysgoloriaeth
yn ddim wrthi.
    Tywydd braf, a minnau'n canu.
    Cofion cynes
        Owen.

105

106

107

105. John Ruskin. Edmygai O.M. waith Ruskin, a chafodd ei ganiatâd i gyfieithu rhai o'i lyfrau i'r Gymraeg. Ni chafodd amser i daflu at y gwaith.

'You have made me as proud as a peacock to find that there is some spirit left in Wales, not crushed out by manufacture and education'.

Ruskin at O.M., 1886.

106. Arglwydd Aberdâr.

'Y mae Jowett yn garedig iawn wrthyf ac wedi dweyd wrth lawer o brif ddynion Cymru mai fi ydyw y Cymro enwoca fu yn Rhydychain ers blynyddoedd. Am hynny yr wyf yn cael y fraint o fynd at Arglwydd Aberdar cyn mynd yn ol i Rydychain, i aros am dipyn.'

O.M. at ei fam, d.d.

'May I have the pleasure of introducing to you an undergraduate of Balliol, Mr Owen Edwards. I think that he is the most distinguished Welshman that we have had at Oxford for many years, and I venture to introduce him to you because he is worthy of your acquaintance and you may like to know him. I shall be much obliged if you would take a little notice of him.'

Jowett at yr Arglwydd Aberdâr, Rhagfyr 1886.

'. . . called on Lord Aberdare: 4 hours' talk . . . has not a right estimate of Welsh literature: kind though with sour aspect.'

Dyddiadur O.M., Ionawr 1887.

107. Dan Isaac Davies, Arolygydd Ysgolion ac arloeswr dros y Gymraeg.

'Bum lawer iawn yng Nghaerdydd pan yn efrydydd yn Rhydychen, yn ystod fy ngwyliau . . . Yn y blynyddoedd hynny 1884-86 cymerodd Dan Isaac Davies fi dan ei ofal, a deffrôdd ynof deimladau oedd Michael D. Jones wedi godi ynnof yn y Bala. Daeth ataf, er na wyddwn odid ddim am dano, deuai ar fy nhraws ar bob achlysur, dilynai fi i'm llety, a dywedai wrthyf o hyd, — "Chwi sydd i gario fy ngwaith ymlaen".'

O.M. at Ifano Jones, Mai 1907.

108

110

109

108. Owen Edwards, mab Edward Edwards Penygeulan a chefnder O.M. Bu farw Owen Edwards Penygeulan yn Melbourne yn 1893. Mabwysiadodd O.M. yr enw canol 'Morgan' oherwydd y dryswch ym meddwl pobl rhyngddo ef a'i gefnder. Cynyddodd y dryswch pan gafodd y ddau ohonynt radd a'u derbyn i'r weinidogaeth. Ni ddefnyddiodd O.M. 'Morgan' wedi iddo gael ei benodi'n Arolygwr Addysg Cymru yn 1907.

'I have been using the lengthened name you mentioned... and I think it is pretty melodious, but I forget it sometimes. However things occur now and then which make me more careful... I went home and popped M. between the initials of my name wherever it was not put already.'

O.M. at Owen Edwards Penygeulan, Gorffennaf 1881.

109. Capel-y-Maes, Eglwys Bresbyteraidd Saesneg, Castle Square, Caernarfon. Bu O.M. yn weinidog ar yr eglwys hon am gyfnod byr yn 1885 pan oedd y gweinidog, ei gefnder Y Parch Owen Edwards Penygeulan, yn sâl.

'Gwir iawn ydyw hyn, — pe na buasai genyf ddim i'w wneyd buasai yma y lle dedwyddaf tan haul... Ond yr ydwyf yn teimlo yn anesmwyth iawn, y mae fy ngwaith yn rhy drwm imi o lawer, a buasai yn dda gen fy nghalon, er cystal lle sydd yma, tase diwedd yr wythnos nesaf wedi dod. Y mae arnaf hiraeth mawr am waelod rhos Caerhys a chadles Coedypry, lle y gwnawn fy mhregethau. Ar lan afon Menai yr ydwyf yn cerdded i'w gwneyd yn awr, ac y mae yno le ardderchog, yr afon lydan, a Sir Fôn ar fy nghyfer, — Niwbwrch ac Aberffraw, — mynyddoedd cawraidd Lleyn ac Eifionydd ac Arfon yn gylch oddiamgylch, ond mae'n well gen i'r Aran na nhw i gyd.'

O.M. at ei fam, Awst 1885.

110. 7 Segontium Terrace, Caernarfon. Yma y lletyai O.M. pan fu'n gofalu am eglwys ei gefnder.

'Yr wyf yn gysurus yn fy llety, ar lan yr afon Seiont yn ymyl y Castell.'

O.M. at ei fam, Awst 1885.

111

HOPE CHAPEL, MERTHYR TYDFIL.

ANNIVERSARY SERVICES

SUNDAY, SEPTEMBER 19TH, 1886.

PREACHERS:

REV. D. C. DAVIES, M.A., BANGOR,

MORNING AND EVENING.

Rev. O. EDWARDS, B.A., Oxford,

AFTERNOON.

ANTHEMS TO BE SUNG:

MORNING.

ANTHEM—"O taste and see how gracious the Lord is, blessed is the man that trusteth in Him. O fear the Lord, ye that are His saints, for they that fear Him lack nothing. The lions do lack, and suffer hunger: but they who seek the Lord shall want no manner of thing."

AFTERNOON.

ANTHEM (verse)—"I will sing of Thy great mercies, O Lord, my Saviour, and of Thy faithfulness evermore. [Full.] O Lord, how manifold are Thy works, in wisdom hast Thou made them all; the earth is full of Thy riches. The valleys stand so thick with corn, that they laugh and sing. Praise the Lord, O my soul, and forget not all His benefits."

EVENING.

ANTHEM (verse)—"Lord God of Abraham, Isaac, and Israel; this day let it be known that Thou art God, and I am Thy servant. O shew to all this people that I have done these things according to Thy word. O hear me, Lord, and answer me, and shew this people that Thou art Lord God, and let their hearts again be turned. (Full) Behold, how good and joyful a thing it is, brethren, to dwell together in unity. (Verse) It is like the precious ointment upon the head, that ran down unto the beard, even unto Aaron's beard, and went down to the skirts of his clothing. It is like the dew of Hermon, which fell upon the hill of Sion. (Full) For there the Lord promised his blessing, and life for evermore." Amen.

111. Y pregethwr wrth ei waith. O.M. yn pregethu yng nghyfarfod dathlu capel 'Hope' yn Merthyr Tydful, Medi 1886. Myfyriwr yn Rhydychen oedd O.M. yn 1886.

112

113

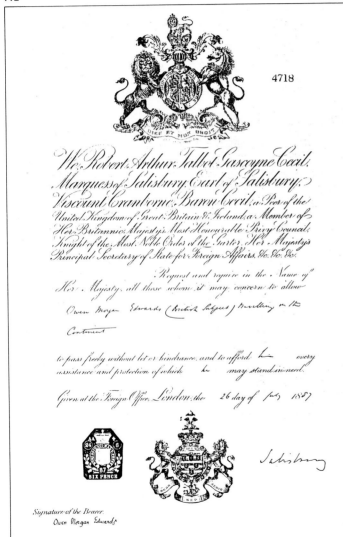

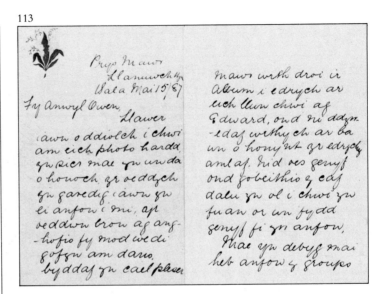

112. Trwydded deithio O.M., 1887. Dyma'r drwydded a hwylusodd y daith o'r Bala i Genefa.

113. 'Llythyr a blode cof gleision ar ei ges.'

'Yn sydyn, nis gwn yn iawn fy hun pryd, cefais fy hun yn methu anghofio geneth o'm cartref, geneth nad oeddwn prin wedi ei gweled er pan oedd yn fabi, nid fedrwn ei gyrru o'm meddwl, gwridwn pan soniai rhywun rhywbeth am dani, ddydd a nos yr oedd yn llenwi fy meddwl... Cymerais arnaf fy mod wedi addaw fy llun iddi ac anfonais ef. Daeth atteb yn ol; llythyr a blode cof gleision ar ei ges. "Fy annwyl Owen", oedd y dechre. "Dechre ardderchog", medde finne wrthyf fy hun, "go on". Ond llythyr *cyfaill* oedd y llythyr, yn diweddu'n oer, — "Yr eiddoch yn ddidwyll, Elen Davies". Ni waeth i mi dorri ystori hir yn fyr, — ni welais y gair "Davies" yn un llythyr wedi hwnnw.'

O.M. at Ellen Davies, Y Prys Mawr, Llanuwchllyn — neu 'Elin' fel y galwai ef hi, Medi 1888.

114

115

114. Un o'r lluniau a anfonwyd at Elin.

115. Un o baneli 'Codi'r Groes' gan Rubens. Yn Antwerp bu O.M. Edwards yn syllu am hir ar gynfasau Rubens. Y panel hwn oedd ei ffefryn.

'Y pethau cyntaf yr eis i'w hedrych oedd darluniau Rubens. . . y mae *panel* yn yr Elevation, ac arno ddarlun o'r gwragedd oedd yn edrych ar y croeshoeliad. Y mae yno un gwyneb tlws iawn, ac, — wn i ddim gredwch chwi ai peidio, y mae yr un ffunud a'ch gwyneb chwi. Yr wyf yn siwr fod Rubens mewn cariad a'r eneth hono, — ddau can mlynedd yn ol. Wn i ddim pam, ond y panel hwnnw oedd y peth gore, yn fy meddwl i, o bob peth wnaeth Rubens erioed.'

O.M. at Elin o Coblentz, Awst 1887.

116

Fy anwyl Ellen,

Yr wyf yn amgau llun i chwi, yn
ol fy adewid, ac ar eich cais. Nid hwn
ydyw y gore dynnwyd, ac y mae hynny
yn gysur mawr imi, ond gan mai
am hwn y gofynasoch yr wyf yn ei
yru. Adewais anfon amryw i Miss
Jones Bryncaled, - hyny ydyw os medraf
eu cael gan y photographers celwyddog
yma, - o honof fy hun ac o groups
o fyfyrwyr a minau yn eu plith. Os
ystyriwch ef yn werth y drafferth,
gofynwch idi a gewch eu gweled, -
gwyddoch mor ffeind ydyw, - ac os byddoch
yn licio un neu ychwaneg o honynt
bydd yn dda iawn genyf gael eu hanfon
ichwi; anfon y llun wyf yn feddwl, nid
y myfyrwyr, er fod yn sicr y medrech
gael amryw o'r rhai hyn hefyd am
dim ond eu gofyn.

Ni ofynodd Mary am un o gwbl, -
never condescended to ask, Ellen fach;
a minau'n meddwl cymaint o honi.
"Mae nhw yn deyd fod Mary'n
uwch na chwi." (Yr wyf yn cofio
pob peth a dywedsoch wrthyf).
    Methais a chael eich darlun
chwi, er i mi grefu cymaint ar
Farged Jane ag y medr un mor
swil a fi. Y mae pawb yn
gwybod gwerth peth clws pan
ga'nhw fo, ac am ei gadw
iddynt eu hunain... "A thing of
beauty is a joy 'for ever', ynte?
Hidiwch befo, gallaf feddwl am
danoch, ac y mae hynny'n gysur
go lew.

116. Llythyr at Elin, Mai 1887.
Cyfeirir yma at yr addewid i
anfon lluniau at Miss Elin Jones,
Bryncaled, merch arall o
Lanuwchllyn a ddenodd serch
O.M. Edwards.

117a/b. Llyfr o gerddi a
anfonodd O.M. at Elin pan oedd
yn teithio'r Cyfandir, 1887.
Ychwanegodd O.M. gerddi a
phenillion Cymraeg a
chyflwynodd y gyfrol i 'Baby'.
'Babi' y galwai ef Elin, a 'Bow'
y galwai hithau ef.

118. Cyfieithiad O.M., yn ei
lawysgrif ei hun, o gerdd gan
Heine. Anfonodd ei gyfieithiad o
Heidelberg i Lanuwchllyn at ei
'eneth lygatlas' ef.

'Y peth gore rhag hiraeth ydyw gweithio'n galed. Wel, mi a ymroddais i gyfieithu fy hoff awdur Germanaidd i Gymraeg. Ond yn bur fuan cefais allan fod Heine wedi bod yn ymboeni ar hyd ei fywyd oherwydd ei gariad at ryw eneth lygatlas a'i gwrthododd; a dyma'r gân gyntaf ddarllenais o'i eiddo yn Heidelberg, — (cofiwch nad ydy hyn ond cyfieithiad dienaid o gân swynol iawn)... Beth bynnag ddengys llinellau Heine, dangosant fod *rhywun* wedi bod gen wirioned a minne.'

O.M. at Elin, Awst 1887.

117a

NEATH SUMMER SKIES

Poems with Illustrations by ERNEST WILSON.

117b

The Streamlet.

" Still glides the gentle streamlet on,
With shifting current new and strange;
The water that was here, is gone,
But those green shadows never change.

" Serene or ruffled by the storm,
On present wave, as on the past,
The mirror'd grove retains its form,
The self-same trees their semblance cast.

" So love, howe'er time may flow,
Fresh hours pursuing those that flee,
One constant image still shall show
My tide of life is true to thee."

TOM HOOD

118

Mit deinen blauen augen.

Ih dyner lygaid gleision,
Mwy prydferth wyt bob dyð,
A dyfal gofio am danat ryw
Freuðwydiol bleser ryð;

A thrwy fy oes mi welaf
Dy lygaid gleision di,
Nes daw rhyw fôr o lesni tlws
I doi fy nghalon i.

Heine.

119

Cwyn Coll

Dwyfol y canai Dafydd
Am y gog ac am y gwŷdd,
"A mwyn adar a'i carai
"A merch a welsai ym Mai,"
Am Forfudd a'r gwallt rhudaur,
Y gwallt melynach nag aur.
Hiraeth trwstan am dani
Oedd ei dyri hebddi hi;
A'i odlau yn y gaeaf,
Hiraeth am wên heulwen haf
Amled yr ydoedd trymlef
Hiraeth yn ei araeth ef!
"Hiraeth sy boenwaith beunydd,
"Hwn nid â er henwi dydd."

Hiraeth blin sydd i minnau
Am gyfeillion mwynion mau—
Hiraeth am yr Archdderwydd—
O am wên yr Awen rydd,
I mi i ddarlunio modd
Y mesurs llyfn ymadrodd,
I mi ganu am gyresoef—
Y llais a'r parabl cleof,
A'r dull digrifbert o wau
Y dedwydd ddywediadau.
Ond Pa ddyn all ddarlunio,
Pa ddyn ei wymp dorrau o?

Pwy draetha radau'n ffraethfardd,
Neu pwy dremei wyneb hardd!
Ni cheisiaf, ni fedraf fi
Heddyw well nag adrodd
Tirioned eiriau edmyg
Dafydd am y Gruffydd Grug—
"Tros fy ngrân, ledchwelan lif,
"Try deigr am wrtra digrif;
"Lluniwr pob deall uniawn
"A llyfr cyfraith yr iaith iawn"
Ond dan fy mron i'm lloni,
Y mae gobaith a'i hiaith hi
Yn ateb y cawn eto
Ar ôl ei daith hirfaith o,
Ganfod y tŷ awerfawr
Yn Rhydychen hen a hardd.

Dyfnach, erchach ein harcholl,
A'n cwyn am ein brodyr coll.
I.O. Thomas aeth ymaith,
Do, do, daeth i ben ei daith
Ei dripfan sy'n y dryssfyd,
Efe'n sancteiddio'r hen fyd.
Ie, W.D. hefyd aeth;
Ond dilys erys hiraeth,
A'i "hiraeth" gân winwlan o
Yn dôn i gofio'n dano.

120

16 Carlstrasse,
Heidelberg,
Medi 23 1887.

119. 'Cwyn Coll', 1887. Anfonodd John Morris-Jones y cywydd at O.M. a oedd ar y pryd yn teithio'r Cyfandir.

'Y cyfaill mwyn... i ti y daw y diolch cyntaf... Am gyfarfodydd y Gymdeithas, cyfarfodydd bychain diddan a gawsom. Y seithwyr ffyddlon o gwmpas y tan, a rhyw gydymdeimlad o'r golled a gawsom yn ein closio at ein gilydd. Chwith chwith yw bod heb yr Archdderwydd a'r Pencerdd. "O am yr hen hoelion wyth". Yr ydym fel teulu bach mewn anghynefin ddinas, wedi colli'r penteulu a'r brawd anwyl. A dyma fi'n gyrru gwyn goll a genais i. Yr oedd arnaf flys canu cywydd ers tro, gan mor felus i mi yw dwyfol gywyddau Dafydd, ac o'r diwedd mi genais hon ar y mesur hwnnw. Ond yr oedd y mesur yn rhy gaeth i mi fedru dweyd hanner fel y mynnwn. Pa fodd bynnag dyma hi fel y mae hi... Gyr air eto'n fuan fuan. Mae dy eiriau fel y gwin.'

John Morris-Jones at O.M., Tachwedd 1887.

121

120.   Llythyr o Heidelberg at ei frawd John yn Llanuwchllyn, Medi 1887. Dan y llun ysgrifennodd O.M. y nodyn canlynol: 'Nid ydyw y darlun hwn yn debycach i Goblentz nag ydyw i rywle arall. Llun hyll yw hwn, fel y gweli, a lle tlws iawn ydyw Coblentz fel y gwelais i. A anfonais ddarlun o Heidelberg?'

121.   Ai hon yw Mary Cave? Swynwyd O.M. yn Heidelberg gan bersonoliaeth fywiog Mary Cave, merch ifanc ddeallus. Hi oedd ei gydymaith yn Heidelberg, ac yn ei ddyddiadur a'i lythyrau y mae'n sôn yn wresog iawn am ei chwmni a'i harddwch. Wedi hir bendroni penderfynodd mai glynu at Elin a wnâi. Bu ef a Mary Cave yn gohebu tan iddo briodi yn 1891. Y mae'r llun yma o albwm O.M. yn cyfateb i'r disgrifiad ohoni a geir yn un o'i lythyrau at Elin.

'Y mae geneth o Saesnes, geneth dlos iawn, yn byw yn yr ystafell nesaf, clywaf swn ei throed yn awr... Un dal ydyw, hwyrach ei bod rhyw fodfedd yn dalach na chwi, gwallt du iawn, a llygaid dark brown, a llais melus, a chwerthiniad iach.'

'Gwir ei bod yn eneth ddymunol ymhob modd, ac oni bai fod rhyw gyd ddealltwriaeth rhyngoch chwi a mine, y mae'n bur debyg y buasai Mary Cave a mine yn gwisgo modrwyau ein gilydd erbyn hyn.'

'Merch i weddw masnachwr o Leeds ydyw Miss Cave, hyn na chwi o bedair blynedd neu bump, wedi gorffen studio Mathematics yn Cambridge, ac wedi dod i'r Cyfandir i orphen ei haddysg. Y mae'n eneth hardd, syrth pawb mewn cariad a hi braidd, ac yn eneth garedig ddeallus iawn.'

O.M. at Elin, Medi a Hydref 1887.

'I received your card yesterday at breakfast, and was nearly choked in consequence, so grete was mye joie.'

Mary Cave at O.M., Hydref 1887.

122.   Archeb O.M. ar gyfer cyfrolau yn y Bibliothèque Publique, Genefa, 1887.

'. . . mi gofiaf heno wrth ysgrifennu mai efrydydd ydwyf yn Geneva yn chwilio difri Hanes.'

O'r Bala i Geneva

123.   Llawysgrif O.M. ar dudalen flaen y copi gwreiddiol o *Tro yn yr Eidal*.

123

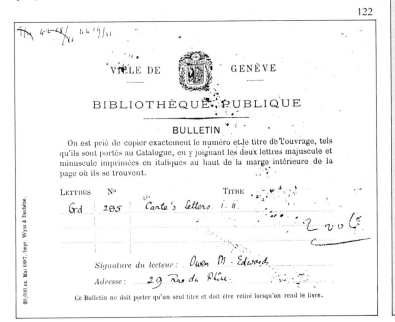

122

124

Annwyl Gyfaill,   Grand Hotel   Nov. 30.89
                   Naples

Ni feddyliais mai yma y byddwn oddydd olaf o
Dachwedd, pan ffarweliais a chwi wrth lidiard Coedypry
y noson fythgofiadwy hono ar ol y daith i Fawddwy.
Yr wyf yn anfon gair i ddiolch o galon am Tro yn yr
Eidal. Mae pob tudalen o hono yn annwyl i mi
er pan groesais yr Alpau. Rhaid dyfod i'r Eidal
a dilyn ol eich traed er mwyn deall faint yw stôr
y murymhad sydd yw gael yn Nhro yn yr Eidal. Mosais
yn Milan, Genoa, Pisa, Rhufain ac yma. Oddyma bum yn
Mhompeii, Paestum, Salerno, Amalfi, Ravello, Sorrentum
a Capri. Heddyw yr wyf yn hwylio i'r Aifft, gan
hyderu cyrhaedd y Rhaiadr Cyntaf erbyn dydd Calan.
Annwyl Owen, anfonwch lythyr hir i mi i
Shepheard's Hotel, Cairo. Bydd yn wir
felus clywed oddiwrthych. Yr wyf bawydd yn
disgwyl clywed am yr Assistant Commissionership.
Anfonwch air ar hyn. Mae arnaf hiraeth am
weld Cymru fydd am y misoedd hyn, ond rhaid
ymdawelu. Gobeithio eich bod yn leicio llyfryn
Ellis Griffith a minnau ar yr Deddfau Addysg i
Gymru. A ydyw eich Tro yn Llydaw allan eto?
Cofion caredicaf
Tom.

125

124/125.   T.E. Ellis yn canmol *Tro yn yr Eidal*. Anfonwyd y cerdyn post gan Tom Ellis at O.M., fis Tachwedd 1889 o'r Eidal.

126

Grand Hotel de l'Univers.
St Brieuc.
Bore dydd Gwener. Gor. 26. 1889.

[llythyr wedi ei ysgrifennu â llaw]

126. Y llythyr cyntaf o Lydaw, at John yng Nghoed-y-pry. Ynddo mae O.M. yn sôn am Ned ei frawd, sef yr 'Ifan Bowen' y sonir amdano yn *Tro yn Llydaw*.

127. Ymateb y llenor i Chateaulin.

'Wrth adael gorsaf Chateaulin ceir golwg ar y dref, — un o'r golygfeydd prydferthaf yn Llydaw. Rhed dyffryn i fyny o'r dref, a gwelir eglwys a mynwent a choed duon ynddo, — y mae rhyw ddieithrwch anesgrifiadwy yn y dyffryn hwnnw, y mae Natur ei hun fel pe wedi heneiddio yno.'

Tro yn Llydaw

128. Ymateb y Cymro a'r Methodist i Lannion.

'Buom yn crwydro trwy yr holl ystrydoedd, gan edmygu y tai henafol a'r eglwysi, ac eisteddasom dan gysgod y coed ar lan yr afon i wylio'r plant yn chwarae. Bron na feddyliem mai yn y Bala yr oeddym wrth weled wynebau Cymreig y plant, a hanner ddychmygwn weled y Sul wedi dod, a hwythau yn yr Ysgl Sul yn ateb Rhodd Mam. Gwyn fyd nad felly fuasai.'

Tro yn Llydaw

127

128

129a

129b

129a/b.   Cardiau'r gwestai y bu Owen ac Edward Coed-y-pry yn lletya ynddynt yn Llydaw, 1889.

Hotel de l'Univers, Lannion.
'Dilynasom ef i'w Hotel de l'Univers… cawsom ef yn lle wrth ein bodd. Yr oedd yno ddau Sais ieuanc ar ymadael a dywedent ar ginio na chawsant hwy le mor gysurus yn Llydaw i gyd.'

Tro yn Llydaw

Hotel du Morbihan, Vannes.
'Yr oedd yn hen brynhawn arnom yn cyrraedd Vannes, a hyfryd oedd cysgodion ei heolydd wedi'r gwastadedd poeth. Wedi ymgartrefu yn yr Hotel de Morbihan, troisom i'r eglwys i orffwys… Cawsom le cysurus yn yr Hotel de Morbihan, — gŵr ieuanc brithwallt oedd y gŵr a biau'r nenbren. Llydawr caredig.'

Tro yn Llydaw

130

131

Feb. 13. 1889.

Dear Mr Edwards,

I have great pleasure in conveying to you the intelligence that we have this morning elected you to our Modern History Tutorial Fellowship.

My morning is taken up, but if you are free at 5 o'ck I shall be very glad if you will come in and see me

Very faithfully to

W.W. Merry

Rector

O.M. Edwards Esq.

130. Tyrrau Hawksmoor, Coleg All Souls, Rhydychen.

'Yr wyf yn chwerw f'yspryd, ac y mae'r awyr fel pe byddai o bres uwch fy mhen. Heddyw etholodd All Souls Lang yn gymrawd. Gwyddai pawb yn Rhydychen mai myfi ddylasant ethol. Fy oed yn unig oedd yn rhwystro sicrwydd fy etholiad... ond gwn yn dda fod gan fy nghrefydd a'm credo boliticaidd a'm traddodiad isel... rywbeth i'w wneud a'r dewisiad.'

Llyfr Nodiadau O.M., 1888.

131. Llwyddiant O.M.

'Da i mi oedd colli cymrawdiaeth All Souls. Yr wyf wedi cael un llawer gwell, mewn coleg llawer mwy dedwydd. Y mae Coleg Lincoln yn un o'r rhai mwyaf cysurus... Y mae tippyn o wahaniaeth yn fy sefyllfa er pan oeddwn yn mynd i'r Grammar School gyntaf, onid oes. Cerdded, am nad oedd gennyf bres i dalu'r tren, wedi codi coron o gyflog Twm i fyw am yr wythnos gyntaf, byw ar hanner coron yr wythnos, — torth chwech a llaeth enwyn. A chael pum cant y flwyddyn yrwan!'

O.M. at ei deulu yn Llanuwchllyn, Chwefror 1889.

132

132.   Coleg Lincoln. Bu O.M. yn Gymrawd yma o 1889 tan 1907. Yn 1908 etholwyd ef yn Gymrawd Anrhydeddus.

'Yr wyf newydd fethol yn Gymrawd o Goleg Lincoln. Y mae yn anrhydedd o'r mwyaf, gan fod rhai o athrawon gore Lloegr yn ymgeisio am y swydd... Nis gwn yn sicr faint ydyw gwerth y Gymrawdiaeth, — y mae yn rhywle rhwng £300 a £400. Pan gofiwch na fyddaf yma ond hanner y flwyddyn, gwelwch fod fy nghyflog yn gyflog da. Ond pe gwyddech yr ymdrechion y bum ynddynt i gyrraedd y safle yr wyf ynddi, ni ddywedech ei fod yn ormod.'

O.M. at Elin, Chwefror 1889.

133.   Llythyr buddugoliaethus at Elin.

133

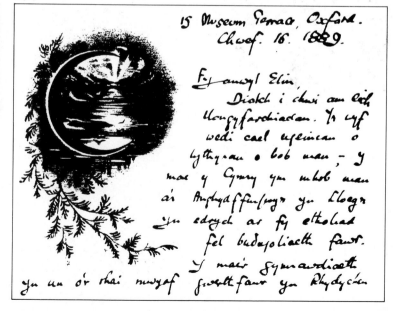

134

134. Grŵp Coleg Lincoln, 1889. (O.M. yw'r pumed o'r chwith yn yr ail res).

'With regard to Mr Edwards' work as tutor and lecturer, I may say without fear of contradiction that his lectures are at the present time far away the most sought after in the University.'

Tysteb John Rhŷs, Coleg Iesu.

'I cannot speak in too high terms of the generous amount of time he has spent on his pupils. As a pupil lecturer he has been remarkably successful, and has always drawn a large and interested audience about him.'

Tysteb W.W. Merry, Coleg Lincoln.

135a/b/c. Llythyr o Goleg Lincoln at ei fam, 1889.

135a

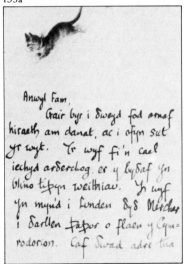

135b

135c

136

136. Elin Davies, Y Prys Mawr, Llanuwchllyn. Priodwyd O.M. ac Elin yn 1891.

'Nid wyf yn dweyd fod Elin yn ddysgedig, nac yn gyfoethog, nac yn alluog, — y mae *digonedd* o ferched dysgedig a chyfoethog a galluog i'w cael yn y fan a fynoch, — ond y mae yn un o'r genethod bach cywiraf, mwyaf serchog, a mwyaf didwyll fu yn y byd erioed. Gall fod yn ddistaw pan fo eisiau bod yn ddistaw, a ffraeo pan fydd raid. Y mae'n gwybod digon i sgwrsio'n ddiddan, ac nid yw'n gwybod digon i fod yn sych-ddysgedig, mae natur wedi rhoddi chwaeth dda iddi; cafodd gan Ragluniaeth bethau na fedr eu prynnu am yr holl fyd, — llais melodaidd, cerddediad tywysoges, a chalon lan.'

O.M. at Mrs Matthews, perthynas Elin, Ionawr 1890.

'She is a noble, true-hearted woman... You have a treasure in her, and a very, very rare one, I think. I think I once told you that if I ever loved someone with all the strength I am capable of, I could yet give him up to another if I felt her worthy — I cannot express my feelings for your Blue Eyes better than by saying she is the only girl I've yet seen or heard of toward whom I could really put my theory into practice.'

Mary Cave at O.M., Hydref 1887.

137

137.   Y Prys Mawr, Llanuwchllyn, cartref Elin.

'Cefais ddarlun o'r Prys fel yr oedd cyn ei ail godi, oddiwrth Thomas heddyw. Yr wyf yn ei roddi yn y llythyr hwn. Cedwch ef yn ofalus.'

'Yr oeddwn yn meddwl y leicech weld pictiwr hen dy'r Prys, — buase'n well gen i na llawer pe buasai darlun o'r hen Goedypry ar gael, pan oedd heb fynd a'i ben iddo. Onid Dafydd yw'r bachgen sy'n sefyll ar gefn y mur?'

O.M. at Elin, Ionawr 1894.

'Yr oeddwn yn leicio gweled llun y Prys fel yr oedd... Yr wyf yn meddwl mai Kate ydi honno sydd wrth talcen y tŷ... wn i ddim bwy ydi'r bachgen hwnnw.'

Ateb Elin, Ionawr 1894.

138

139

140

138. Llun o'r Prys Mawr a dynnwyd gan O.M. Pan adeiladwyd y Neuadd Wen, gosodwyd chwyddwydr arbenig yn un o ffenestri'r tŷ er mwyn caniatáu i Elin weld ei chartref genedigol yn gliriach.

139. Evan Davies, Y Prys Mawr, tad Elin. Priododd Evan Davies, Plas Morgan Llanuwchllyn, â Gwen Jones, merch Y Prys Mawr. Symudodd i'r Prys tua 1864 lle y bu'n ffermwr a milfeddyg dawnus. Wedi i'w iechyd dorri, aeth i Matlock ger Buxton yn 1884 gan feddwl y byddai'r dyfroedd yn llesol. Bu farw yno 14 Awst 1884 yn 58 mlwydd oed.

'Mae'n rhyw gysur cael gweled gwynebau rhai sydd wedi ein gadael, ond mil gwell fuasai eu cwmpeini. Bum yn meddwl lawer gwaith mor falch fuase tada, pe tase yn fyw gael gwybod ein hanes. Byddai yntau yn meddwl llawer ohonoch chwi bob amser. Llawer ddaru o bryderu yn eich cylch rhag ofn i chwi droi'n Eglwyswr.'

Elin at O.M., Mai 1890.

140. Gwen Davies, Y Prys Mawr, mam Elin. Bu farw 18 Ionawr 1920.

'Bum yn meddwl droion pe buaswn yn ffermwraig fel eich mam y buaswn wedi torri ers blynyddoedd. Tase dim ond rhent a threth a chyflogau... ond cadw lot o ferched hefyd, — yn wir fedraswn i mo'i wneyd.'

O.M. at Elin, Mai 1890.

'Mae rhen Wen dipin yn amgenach na Bet [Coed-y-pry]. Mae Bet yn slavio'n galetach, hwyrach, ond mae'r hen Wen wedi gorfod diodde mwy, a peth arall mae hi'n haws ei gweled. Ond am yr hen Fet, wel neb byth mohoni.'

Elin at O.M., Mai 1892.

141

141. Teulu'r Prys Mawr, Llanuwchllyn. Gwelir Elin ar lin ei thad, Evan Davies.

'Y mae'r pictiwr yn un da iawn... Yr adeg y tynnwyd o, roeddwn i dros fy mhen a'm clustiau in love hefo Jane [chwaer Elin], ac wrth ei weled y tro cyntaf y mae arnaf ofn mai ychydig iawn o sylw delais i'r eneth fach lygadlas sy'n fwya pwysig o lawer i mi erbyn heddyw... yr wyf yn cofio cael ysgwrs hir hefo'ch tad yng Nghaerhys unwaith... peth od iawn na fuasech chwi wedi mynd yn sientar hefo fo ynte, a chwithe'n dipyn o favourite ganddo, fel mae'n amlwg oddiwrth y darlun.'

'Anfonaf y pictiwr yn ol i chwi, yn ol eich dymuniad... Edie sy'n ddoniol iawn, — beth mae Sarah'n feddwl o honi ei hun. Yr ydych chwi'n edrych fel pe baech yn meddwl eich bod yn werth eich gweled, — hefo'r ffrog sipiog grand honno. Y mae Jane a Kate yn debyg iawn, — yr un ffunud o ran hynny, — i'r peth oeddynt yn yr ysgol, ac y mae'r darlun yn codi hiraeth mawr arnaf am yr amser hwnnw.'

O.M. at Elin, Mai 1890.

142/143/144/145/146.   Chwiorydd Elin Davies, Y Prys Mawr.

142.   Jane Davies.

'An exceedingly fine day: the marriage day of Robert Caergai and "Jane y Prys", both being old school-mates of mine, especially the bride, who passed the sixth standard examination at the same time with me. Both are the possessors of a pretty stiff disposition; the family of Caergai ar noted for their domestic misery, and she, I fear, has too much of the peculiarities of the "Plas" family...'

Dyddiadur O.M., 1879.

142

143

143. Kate Davies.

144. Mary Davies.

Bu O.M. Edwards mewn cariad
â thair o ferched Y Prys, sef
Jane, Mary, a'i wraig Elin.
Anfonodd linellau at Mary yn
datgan ei gariad:

*Grand German Music some may
love
And some Italian music gay
My feet time beat to Harlech March
And my heart to "Dawn of Day"
Now that I'm getting tedious
I'm sure you'll agree
So take the very warmest love of
yours*

O.M.E.

Yn 1890, mewn llythyr at ei
wraig, yr oedd yn dal i ganu
clodydd Mary: 'Y mae Mary'n
haws ei hadnabod na chwi, yn
llawer mwy unplyg, yn meddu
llai o gythrel.'

145. Edie Davies.

'Go dda Edie am fynd i'r ysgol
etto, os na aiff yn rhy ddysgedig
i wneyd pwdin neu drwsio sane,
— tybed a ydynt yn dysgu
pethau felly yn Nolgellau?'

O.M. at Elin, Medi 1888.

146. Sarah Davies.

144

145

146

147

148

149. Castell Carndochan, Llanuwchllyn. Yn ystod gwyliau'r haf âi Elin ac O.M. yn aml am dro i'r castell ac yn ei lythyrau mae'n sôn yn hiraethus am y fangre hon.

'Fe ddaw'r haf eto, mi ddaw Elin. "Twill not be always winter". Mi gaf eich gweled eto'n ceisio dringo drwy'r gwres i ben castell Garn Dochan...'

O.M. at Elin, Dydd Gwyl Dewi Sant 1891.

147. Dafydd Davies y Prys Mawr, brawd Elin.

'Mi fyddwn i yn arw iawn am dano pan fyddai yn yr ysgol.'

O.M. at Elin, Tachwedd 1887.

148. Elin gyda Jane Morris (yn eistedd), morwyn Y Prys Mawr.

'Y mae eisio i chwi gadw tipyn o *dignity*, — beth wyddoch chi beth a fyddwch. Gwyddoch sut y dylech wneud. Yr ydych chwi'n eneth bach digon call... ond pan fyddwch chwi'n tynnu'n groes i mi.'

O.M. at Elin, Mawrth 1891.

'Pur chwit chwat ydych chwi; felly y mae'n debyg y mae pob genethod, — weithiau'n fêl i gyd, weithiau'n sigwr hanner melus, a'r tro arall fel finager.'

O.M. at Elin, Ebrill 1891.

149

150

151

150. 'Bum yn eu gwrando'n dweud am y dyfodol oedd yn hyfryd ansicr.'

Elin, yn 1891, ychydig funudau wedi iddi bennu dydd ei phriodas. Tynnwyd y llun gan O.M. Wedi marw Elin yn 1919 ysgrifennodd O.M. 'Murmur Dyfroedd' a gosododd y llun hwn uwchben yr ysgrif.

'Y mae rhyw fiwsig cyfrin, suon esmwyth o bell, atgofion am dynerwch hen amseroedd, ym murmur dyfroedd.'

Cymru LVII (1919)

151. Mr a Mrs O.M. Edwards. Priodwyd y ddau 19 Mehefin 1891.

'Nid amheuais erioed na fyddwn yn berffaith hapus gyda'n gilydd. Y mae digon o debygrwydd, a digon o anhebygrwydd rhyngom, i fod yn ddyddorol i'n gilydd ar hyd ein bywyd.'

O.M. at Elin, 1891.

'Byddaf yn ofni'n fawr yr amser y bydd yn rhaid i mi gyfarfod llawer o'ch cyfeillion, byddant yn synnu at eich dewisiad Owen bach...'

Elin at O.M., 1891.

152

153

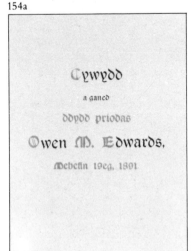

152. Capel Glanaber, lle y priodwyd O.M. ac Elin.

'Hoffwn fynd heb i neb wybod, a chael mor ychydig o ffys a sy'n bosib. . . Pa drefniadau bynnag a wnewch, bydded popeth yn ddirodres iawn. Nid wyf fi am gael dillad newyddion na dim.'

O.M. at Elin, Mehefin 1891.

154a

Cywydd

a ganed

ddydd priodas

Owen M. Edwards,

Mehefin 19eg, 1891

154b

Cywydd.

———

'Llyna haf llon i hoewfardd,
A llyna fyd llon i fardd,'
Llawen, lawen, Owen, wyt,
O ddedwydd ddedwydd ydwyt.
Llonned y wledd, llawn dy lys—
Mi'n unig ym Môn Ynys,
A dychmygion llon a lleddf
Yn gwanu drwy'm holl gynneddf;
Cofio am aur oriau'r Rhyd,
A dyddiau'r hen ddedwyddyd,
Gwyliau yr hen ap Gwilym,
Areithiau llon, ffraeth a llym;
Hwyl dirion mewn gwlad arall,
Ac mor Gymreig ym mro all.

153. Tystysgrif priodas Elin ac O.M.

'Mae ambell un yn syrthio mewn cariad a'i wraig unwaith; yr wyf innau yn ail syrthio o hyd a chwi; yr wyf yn meddwl am danoch ddydd a nos. . .'

O.M. at Elin, 1907.

154a/b. Cywydd John Morris-Jones i ddathlu priodas Owen ac Elin, 1891.

155. Cofnod y briodas a luniwyd gan O.M.

156. Y cofnod Saesneg.

155

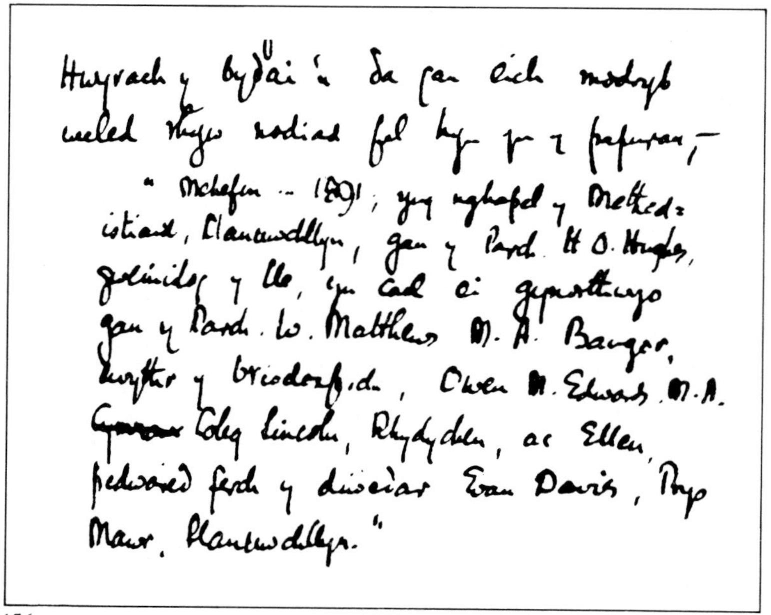

[handwritten text in Welsh]

Hwyrach y byddai 'n dda gan eich modryb weled rhyw nodiad fel hyn yn y papurau,—

" Mehefin — 1891, yng nghapel y Methodistiaid, Llanuwchllyn, gan y Parch. H. O. Hughes, gweinidog y lle, yn cael ei gynorthwyo gan y Parch. W. Matthews, M.A., Bangor, ewythr y briodasferch, Owen M. Edwards, M.A., Cymrawr Coleg Lincoln, Rhydychen, ac Ellen, pedwaredd ferch y diweddar Evan Davies, Prys Mawr, Llanuwchllyn. "

156

WEDDING OF MR. O. M. EDWARDS, M.A.

ON Friday morning, the little village of Llanuwchllyn, which is situated on Bala Lake, assumed its gayest aspect, the occasion being the marriage of Mr Owen M. Edwards, M.A., Fellow of Lincoln College, Oxford, and English Lecturer at Balliol College, to Ellen, fourth daughter of the late Mr Evan Davies, Prys Mawr, Llanuwchllyn, and sister of Mrs G. R. Hughes, School House, Bethel, near Carnarvon. The ceremony took place at the Calvinistic Methodist chapel, of which the bridegroom and bride are members.

157. Elin ac O.M.

'. . . she has to my mind, a strong resemblance to your honoured self. Don't a good many people think she is your sister.'

Mary Cave at O.M., Genefa 1888.

'. . . yr ydw i'n synnu beth mae'r bobl yn ei weled yn debyg ynom ein dau i'n gilydd. Dyna ddeudodd Jane pan welodd hi'r llun na welodd hi rioed ddau mor debyg i'w gilydd.'

Elin at O.M., 1 Mai 1890.

'Yr ydym yn rhy agos at ein gilydd. . . er ein bod wedi bod yn agosach aml dro, ac heb gwyno dim ein bod yn rhy agos. A peth arall, y mae ein llygaid yn dduon iawn, — fel pe buasem wedi bod yn paffio cyn tynnu.'

Elin at O.M., 4 Mai 1890.

158.   Elin, yn Gymraes, yn
Fethodist, ac o Lanuwchllyn.

'Cofiwch, os trowch byth mor
garedig a chwilio am wraig i mi,
ni wnaiff hi mor tro os na fydd
yn Gymraes lan loyw, o
Lanuwchllyn (nid o *bob* brid
oddiyno ychwaith), ac yn
Fethodist selog. Yr wyf yn gul
fy marn ac yn sel bartiol iawn.
Gwn yr aiff ychydig o
Annibynwyr i'r nefoedd, ond
dydw i ddim am gymryd arna
fy mod yn eu nabod yno.
Heblaw rhyw un neu ddwy.'

*O.M. at Elin o Genefa, Hydref
1887.*

'A phan fyddaf wedi cael gair
garw gan rywun, neu pan wedi
cael rhyw sarhad gan snobs
crand Rhydychen yma, gallaf
ddychmygu fod eich breichiau
am fy ngwddf a'ch bod yn
dweyd 'Hidiwch befo' a byddaf
wedi madde pobpeth i'r holl
fyd.'

O.M. at Elin, Ionawr 1890.

159.   Tremaran, cartref cyntaf
O.M. ac Elin yn Llanuwchllyn.

'Rydw i'n reit fodlon ar
Dremaran tra y gallwn wneyd
ynddo, hynny ydyw, tra y
byddwn yn deulu bychan.'

Elin at O.M., Hydref 1892.

158

160.   Bryn'r Aber (ar y dde), cartref y teulu yn Llanuwchllyn tan yr
adeiladwyd y Neuadd Wen yn 1907.

'Fuaswn inne'n leicio gwneyd Bryn'r Aber yn gysurus ymhob ystyr,
ond Bow, dwad adre am chwe wythnos o holidays a dweyd na bw
na be wrth neb ond troi hen bapurau sychion... ai dyna'r ffordd
i'w wneud yn gysurus?'

Elin at O.M., 1896.

159

160

161

162

161.   Wellington Square. Yn y sgwâr Fictorianaidd yma y byddai Elin yn aros pan yn ymweld â'i gŵr yn Rhydychen. Bu O.M. yn byw am gyfnod yn rhif 45.

'Mae'r *rooms* yn rhad iawn, punt yr wythnos. . .'

O.M. at Elin, Hydref 1896.

162.   13 Park Crescent, y cartref yn Rhydychen yn ystod Haf 1893. Y tŷ ar y pen yw rhif 13.

'Yr wyf yn awyddus iawn am i chwi ddod i Oxford y term nesaf. . . Digon prin, os nad ydych yn awyddus i wneyd hynny, y leiciwn aros yn y dre. Y drwg ydi y byddai arnom ofn gweld rhywun yn galw bob dydd amser te, — yr ydych yn cofio mor annifyr oedd hi arnom y term y buom yn y Crescent oherwydd hynny.'

O.M. at Elin, Ionawr 1894.

163

163.   Pentref Boar's Hill ger Rhydychen. Bu'r teulu'n ymgartrefu'n ddedwydd yma yn ystod tymor yr Haf 1894, ond dychwelodd Elin a'r plentyn i Bryn'r Aber, Llanuwchllyn, wedi i bwysau gwaith ei gŵr ei wneud yn bigog a diamynedd.

'Dois adre i Oxford ddoe hefo'r tren 7.30 yna. Yr oedd y wlad yn dlos anghyffredin iawn, — dechrau'r cynhaeaf gwair. Daeth pang o hiraeth newydd i'm calon, ac am a wn i na ddaeth dagrau i'm llygaid, wrth weled y llwybr i fyny Boar's Hill. Cofiwn fel y byddech chwi ac Ab Owen ar y gamfa yn fy nisgwyl o'r coleg ar ddiwedd yr hen brydnawniau hynny yn yr haf.'

O.M. at Elin, Mehefin 1907.

164.   Direidi O.M., y cyhoeddwr.

165.   Darlun a anfonodd O.M. at S. Maurice Jones fel awgrym o'r hyn yr hoffai ei gael ar glawr y cylchgrawn *Cymru*. Bu O.M. yn golygu'r cylchgrawn o 1891 tan 1920.

'Yr wyf yn credu o'r diwedd y medraf roddi'm misolyn newydd, — *Cymru* ar y gweill. Hoffwn gael y rhifyn cyntaf allan tua dechre Mai. Yr wyf am gael darluniau iddo, felly bydd o blyg mwy na'r misolion ereill, — tebyg i'r *Haul*. Hoffwn gael cymhorth holl dalent Cymru, — yn lenorion, arlunwyr, a beirdd. Os llwyddaf ca'r Cymru wybod hanes eu tadau a gwelant etifeddiaeth mor ogoneddus sydd iddynt.

Yr ydych yn cofio i ni ysgwrsio am hyn. Y peth cyntaf ydyw cael
yr enw, — *Cymru*, — a rhyw ddarluniau bach o'i gwmpas.
Gwyddoch am y darluniau bach sydd o gwmpas enw Trysorfa'r
Plant.

Ar y tu allan i'r papur hwn canfyddwch ddarlun erchyll, — yr unig
un dynnais erioed. Treio gwneud rhyw rough sketch o'r peth
hoffwn ei gael ddarfu i mi a methu. Yn y canol, mewn llythyrau
duon trymion Gothaidd hoffwn gael yr enw *Cymru*. O'i gwmpas
hoffwn gael sketches llydain o olygfeydd, castell Caernarfon, Llyn
Tegid a'r Aran, ffrwd fynyddig, telyn, unrhyw bethau nodweddiadol
o Gymru.

(1) A fedrech wneyd rhyw rough sketch, a'i hanfon i mi i gael i mi
ei dangos i'm cyfeillion.'

O.M. at S. Maurice Jones, Mawrth 1891.

164

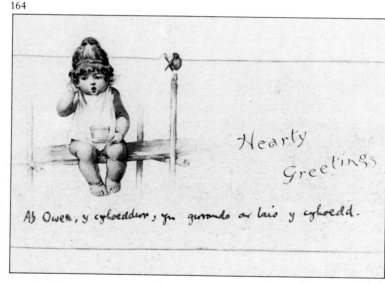

165

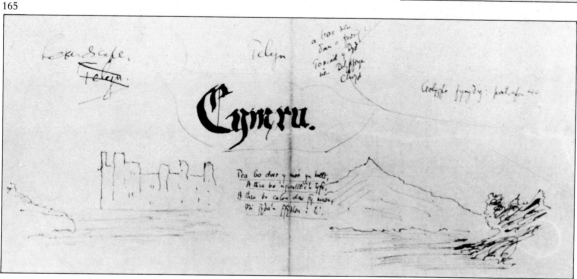

166. Y cynllun a anfonwyd gan
S. Maurice Jones at O.M. ar
gyfer clawr *Cymru*.

'Y mae *design* y wyneb-ddalen
allanol wedi ei wneuthur gan yr
arlunydd Cymreig adnabyddus
— Mr S. Maurice Jones — mab
y diweddar Hybarch John Jones,
Mochdre, ac y mae yn cynnwys
darluniau o brif olygfeydd
Cymru yn nghyda
chynrychioliad o holl siroedd y
Gogledd a'r Deheudir. Mewn
gair, y mae yr olwg arno yn
awgrymu ar unwaith i'r craffus
beth yw natur y cylchgrawn.'

*Hysbyseb y cyhoeddwyr, D.W.
Davies a'i gwmni, Caernarfon, Mai
1891.*

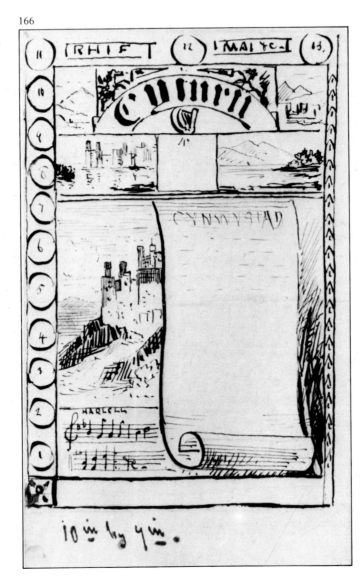

167. S. Maurice Jones.
Arlunydd a gyfrannodd yn
helaeth i *Cymru* ac i gyfrolau
'Cyfres y Fil.'

168

168. John Thomas, Cambrian Gallery, Lerpwl. Yn 1901 cafodd O. M. y weledigaeth i brynu casgliad gwerthfawr y ffotograffydd o negyddion gwydr. Defnyddiodd lawer o'r negyddion yn *Cymru* ac mae'r casgliad yn gofnod amhrisiadwy o ardaloedd a phobl Cymru yn chwarter olaf y bedwaredd ganrif ar bymtheg.

169

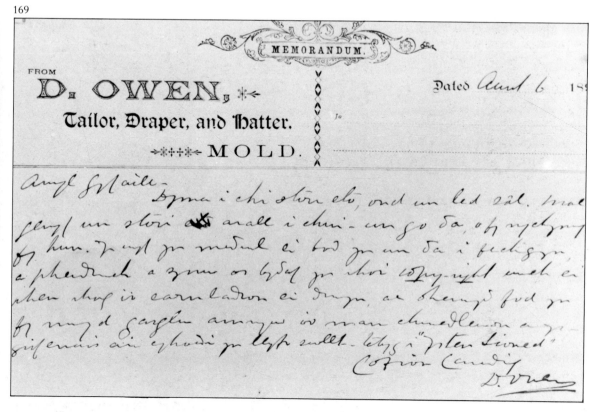

169. Daniel Owen yn cyfrannu stori 'dda i fechgyn' i *Cymru*, 1894.

'Dywedai John Owen [Yr Wyddgrug] dipyn o hanes oriau olaf Daniel Owen. Y peth olaf wnaeth oedd tynnu pictiwr o Thomas Bartley, coler a'r cwbl. Yr oedd wedi ymroi i yfed, — dyn gwan yn ceisio cymorth, — ond yn ei oriau olaf cafodd ei enaid ddisgyblaeth chwerw, ei hanes a phob posibilrwydd yn codi'n fyw ger ei fron. Yn ddiweddar y clywais fod Islwyn hefyd wedi byrhau ei einioes trwy yfed. Druan ohonynt!'

Llyfr Nodiadau O.M., Medi 1896.

170. Eluned Morgan, ffrind Elin yn Ysgol Dr Williams, Dolgellau, ac awdures a gyfrannodd erthyglau i *Cymru*. Mae ei llythyrau cynnar at O.M. yn rhai twymgalon, ond nid oedd ganddo ef ddiddordeb ynddi tu hwnt i'w ddiddordeb fel golygydd trefnus a ffrind uniawn.

'Dydw i ddim yn gweld fod achos am wneyd cymaint o Eluned Morgan... ydych chwi yn cael rhywbeth oddiar ei llaw heblaw ei bod yn prynu rhai o'ch llyfrau?... Gan fod gennych chwi gymaint o ffansi ati, cymerwch hi atoch i Oxford a chysgwch hefo hi os leciwch chwi.'

Elin at O.M., Hydref 1896.

'Meddwl eich bod yn hoffi gweld Eluned Morgan fel hen ysgolwr o'r un ysgol yr oeddwn... yr wyf yn diolch am eich cyngor at gysgu'n gyfforddus. Ond yr wyf yn rhy hen i newid, — nid oes ond un ffordd y medraf feddwl am dani. Anodd tynnu cast o hen geffyl.'

Ateb O.M., Hydref 1896.

171a. Llun John Owen o John Morris-Jones.

171b. Llun John Wickers o John Morris-Jones.

Gofynnodd O.M. i'w ffrind am lun ar gyfer *Cymru*, ac anfonodd John Morris-Jones ddau lun. Dewisodd O.M. yr un a dynnwyd gan John Owen.

'Yn ôl fy addewid dyma fi'n gyrru'r ddau lun i ti. Fe dynnwyd y cyntaf o ran busnes gan John Wickers, a'r ail o ran chwarae gan John Owen. Nid wyf yn malio rhyw lawer am un Wickers; y mae'n rhy anystwyth ac annaturiol, ac yn gwneud i mi godi ngên i'r awyr mewn dull pur ddisithe i mi; ond y mae rhai yn ei ganmol. Wrth gwrs y mae'r llall yn fwy naturiol llun, ac yn fwy artistig, ond nis gwn i a wnaiff y tro i'w gyhoeddi.'

John Morris-Jones at O.M., 1896.

170

171a

171b

172

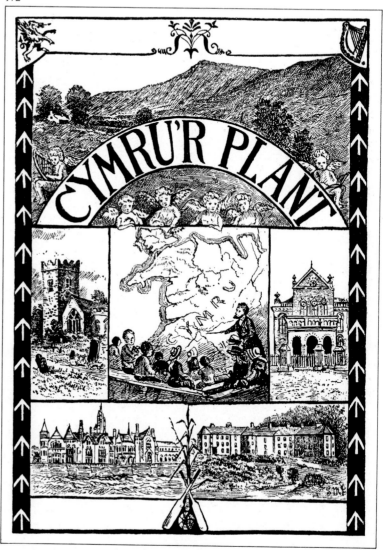

172.   Clawr rhifynnau cyntaf *Cymru'r Plant*, 1892. Lluniwyd y clawr a'r arwyddion gan S. Maurice Jones. Er i O.M. olygu'r cylchgrawn tan ei farw yn 1920, ni fu'n llwyddiant ysgubol yn y blynyddoedd cyntaf. Er hynny, bu'n gylchgrawn dylanwadol ar gyfer addysgu a ffurfio chwaeth plant Cymru.

'Fuase waeth gen i tase ychwaneg nag un ceiliog yn canu ynghanol y nos, os buasent yn foddion i'ch gyrru i'ch gwely. Mi rof i goelcerth ym mhob *Cymru* a *Chymru'r Plant*. Mi wn i y drafferth ydynt i chwi, a mi wn faint mae'r holl drafferth yn dwad i fewn i chwi.'

Elin at O.M., Chwefror 1893.

'You mentioned *Cymru'r Plant*. We are prepared to adopt your suggestion to discontinue it, as its publication entails a loss upon us every month of at least the amount we pay you in royalty. We should suggest discontinuing it after the June issue...'

Elis Owen at O.M., o Swyddfa'r Wasg Genedlaethol Gymraeg, Caernarfon, Mai 1894.

173. Winnie Parry. Cyfrannydd hael i gylchgronau O.M. a golygydd *Cymru'r Plant*, 1908-12.

174. *Wales*. Bu O.M. yn golygu'r cylchgrawn o 1894 tan 1897.

'*Wales* fydd enw fy nghylchgrawn newydd; at drigolion Saesnig Cymru — y Saeson sy'n camddarlunio Cymru, a'r Saeson sy'n ceisio deall Cymru — y mae ei neges. Y mae hanner trigolion Cymru yn siarad Saesneg; carant Gymru fel ninnau; y mae eu gwladgarwch mor ddwfn ac mor bur. Amcan *Wales* fydd rhoddi trysorau meddwl eu tadau i'r rhai hynny, ac yn y ffordd honno uno meddwl Cymru i gyd.'

O.M., Baner ac Amserau Cymru, 25 Ebrill 1894.

175. Y rhifyn cyntaf o *Seren y Mynydd*, 1895, 'papur bro' Llanuwchllyn a Llangywer. O.M. oedd y golygydd ac ynddo ceisiodd ddeffro diddordeb y pentrefwyr yn eu cymdogaeth. Dau rifyn yn unig a ymddangosodd.

173

175

174

WALES.

A NATIONAL MAGAZINE FOR THE ENGLISH SPEAKING PARTS OF WALES.

EDITED BY

OWEN M. EDWARDS, M.A.

VOL. I.

ON THE CONWAY.

1894.

WREXHAM: HUGHES AND SON, 56, HOPE STREET.

176. Label 'Ab Owen' Cyhoeddwr. O.M. oedd y cyhoeddwr ac Elin a fyddai'n aml yn dosbarthu llawer o'r cyfrolau i danysgrifwyr yng Nghyfres y Fil a Llyfrau ab Owen.

'Yr wyf yn ddrwg iawn fy natur rhwng pob peth heddyw. Ni ddaeth y llyfrau byth ac rydw i'n eich rhybuddio na wnewch ddweyd mewn un llyfr eto, y bydd y llyfr fyddwch yn ei gyhoeddi "yn barod" o hyn allan. Cefais ddau lythyr sharp yn gorchymyn i mi roi rheswm dros beidio anfon y llyfrau ag hwythau wedi anfon arian, "a'r llyfrau yn barod medde O.M. Edwards yng Nghymru"... Ag arnoch chwi mae'r bai i gyd Owen, doedd dim achos i chwi ddweyd eu bod yn barod... Waeth gen i tae'r hen lyfre yna wedi mynd i gebyst.'

Elin at O.M., Tachwedd 1892.

176

FROM **Ab Owen,** **Publisher,**

LLANUWCHLLYN, Y BALA, North Wales.

178

177. Islwyn, hoff fardd Cymraeg O.M. Cyhoeddodd bedair cyfrol o amryw weithiau'r bardd a neilltuodd y cyfan o Lyfr xi *Y Llenor* 1897 i Atodiad o ragor o ryddiaith a barddoniaeth Islwyn.

178. Cist dderw Ann Griffiths a ddaeth i feddiant O.M. Cyhoeddodd waith Ann Griffiths yn 1905 yng Nghyfres y Fil.

'My aunt, Miss Janet Jones has asked me to write to you — you will remember that when the foundation was laid of the Ann Griffiths memorial Miss Janet told you she had a small momento for you. It consists of a small table which had once been a droell bach... There is a longer table from Dolwarfechan and a carved chair from Fron Gain and a grandfather's clock from the same place, also an oak chest. These are for sale and Miss Janet wonders if you would care to bid for them.'

S. Charles Edwards at O.M., Mawrth 1909.

179

180

181

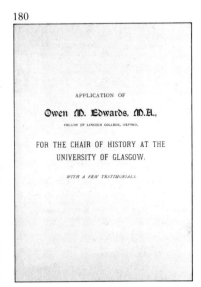

APPLICATION OF

Owen M. Edwards, M.A.,

FELLOW OF LINCOLN COLLEGE, OXFORD,

FOR THE CHAIR OF HISTORY AT THE
UNIVERSITY OF GLASGOW.

WITH A FEW TESTIMONIALS.

179. W. Warde Fowler, ffrind da i O.M. ac Is-Bennaeth Coleg Lincoln. Wedi iddo adael Rhydychen rhoddodd O.M. gopi o'r llun yma o Warde Fowler ar un o furiau ei gartref yn Llanuwchllyn. Mae'r gwreiddiol yng Ngholeg Lincoln.

180. Cais O.M. am Gadair Hanes Prifysgol Glasgow, 1894.

'Yr wyf wedi torri'r ddadl am Glasgow. Yr wyf am anfon fy enw i mewn, — ac ni waeth gennyf yr un botwm prun ai mynd yno neu aros yma fydd hi.'

O.M. at Elin, 1894.

'I remember his work as showing even then decided capacity for philosophy and at the same time unusual gifts of literary expression. The best judges speak in very high terms of his work. From all I can hear I think that he would be an excellent Professor, just such an one as is needed to give a good start to a new subject.'

Tysteb yr Athro Edward Caird, 1894.

11

From W. Warde Fowler, M.A., *Sub-Rector and Tutor of Lincoln College, Oxford; Author of "Julius Caesar," "The City-State,"* &c.

My friend Mr. O. M. Edwards has now been for several years our Tutor in Modern History, and his services to the College have been of such value that I cannot contemplate the possibility of losing them without the greatest possible regret. It would be almost impossible to find anyone equally gifted, stimulating, and indefatigable. In working privately with pupils, he takes the same pains with the able and the dull, and his interest in character makes them all alike the objects of his personal solicitude. This being so, I need not say that they all have the greatest respect and even affection for him; and that we, his colleagues, place implicit confidence in all his dealings with them. I myself, though chiefly occupied with the students of Ancient History, have of late been assisting him in his work, and have often had occasion to notice how their minds have been opened, and their working faculties stimulated, by his happy influence.

As a lecturer Mr. Edwards has a very high reputation, and our Hall is crowded by those who come to hear him. His wide knowledge of history and literature, and his habit of thinking as well as reading,—often in these days a desideratum,—seem to give his lectures a peculiar value; and as he is an accomplished speaker, and clear and methodical in his treatment of a subject, he is deservedly popular as well as useful.

I must express my strong opinion that Oxford can ill afford to part with Mr. Edwards. We have some learned historians, but few real educators,—men, I mean, who not only take infinite trouble, but even unconsciously stimulate their pupils' minds by their own activity of thought. To me the loss of a man of this type would be great, were he only a mere acquaintance; but those who know Mr. Edwards intimately will feel with me that we may well look with envy on the University that eventually secures the services of one so accomplished, so original, and withal so modest.

W. WARDE FOWLER.

182

183

181.   Tysteb Warde Fowler. Y dysteb hon a ddefnyddiodd O.M. pan ymgeisiodd am y Gadair Hanes ym Mhrifysgol Glasgow yn 1894, ac am swydd fel Prif Arolygwr Addysg yng Nghymru yn 1897.

182.   Gorymdaith 'Encaenia' yn Rhydychen, 1899.

'Rhy grand, rhy ffasiynol, a rhy ffurfiol ydyw bywyd y lle gen i. Mae'n well gen i bobol Llanuwchllyn na'r bobl ddysgedig hyn.'

O.M. at Elin, d.d.

'Y mae anemoni gwyllt dan y coed ar gaeau Llwynwrach, a briallu dan geulannydd Coedypry, a blode ar y drain yng Nghynllwyd, a'r eithin yn felyn ar y Garth, — a dyma finne yn y fan yma heb fedru mynd i'w gweled ynte? Ond daw'r haf, Elin, — bydd blode ar yr ysgawen yr adeg honno, ac arogl ar y gwair. Y mae yma flode, hefyd, digonedd, pe byddai gennyf amser i fyned i'w gweled, — ond blode Lloegr ydynt.'

O.M. at Elin o Goleg Lincoln, Ebrill 1890.

183. 'Eights Week' yn Rhydychen. Yn ôl Cofrestr Coleg Balliol bu O.M. yn un o griw 'torpid' y coleg.

'Heddyw ydyw diwrnod olaf yr *eights*. Mae Oxford yn llawn o bobl grand o bob math; ond waeth gen i hefo nhw, mae'm meddwl a'm serch ym mhell bell i ffwrdd oddi wrthynt.'

O.M. at Elin, Mai 1892.

184

185

186

187

188

184.   Grŵp o fyfyrwyr a staff Coleg Lincoln. O.M. yw'r trydydd o'r chwith yn yr ail res o'r gwaelod.

185.   Ystafelloedd O.M. yng Ngholeg Lincoln.

'Mae Rhydychen yn lle ardderchog, ac y mae fy ystafelloedd yng Ngholeg Lincoln yn gysurus iawn, — achos ynddynt y mae'm llyfrau a'm papurau, — ond, coeliwch fi, mi fuase'n fil gwell gen i heno gael bod wrth y Llidiart Ddu yng nghysgod coed y Prys.'

O.M. at Elin, Ionawr 1890.

186.   'Scouts' neu weision Coleg Lincoln.

'Yn y coleg y mae pawb yn gwneud ei de ei hun. Y mae gennym bawb ei was, ac y mae hwnnw yn rhoi dwr yn y tecell ac yn ei roi ar y tân. Hen wr ydyw fy scout i; daw ataf bob bore i ddweyd ei bod yn saith o'r gloch a fod y tecell yn canu, ac i ofyn beth gymeraf o'r gegin hefo fy mrecwast.'

O.M. at Elin, Mai 1889.

187.   Yn Gymrawd yn Rhydychen.

Bu W.W. Merry, Pennaeth Coleg Lincoln (yn y canol yn y rhes flaen) yn ffrind da i'r cymrawd ifanc.

'As a Fellow of Lincoln College he has justly endeared himself to his colleagues, who recognise his inestimable value on the teaching staff, and recognise the influence of his uniform kindliness and gracious bearing.'

W.W. Merry, 1897.

188.   Capel Coleg Lincoln.

'A dyna gloch y capel yn canu, y gloch bump. Os af i yno, ni chaf bostio hwn heno. Waeth gen i hefo eu hen gapel nhw, rhaid i mi gael gorffen fy llythyr, ac y mae meddwl am danoch yn fwy o foddion gras i mi o lawer na gwrando arnynt yn mynd drwy ffurf gwasanaeth Eglwys Loegr.'

O.M. at Elin, Chwefror 1891.

189.   Capel yr Annibynwyr, George St., Rhydychen. Nid yw'r capel yno mwyach, ond dyma un o gapeli'r ddinas yr hoffai O.M. ei fynychu.

'Attended at the George St. Congregational Chapel. After the service there was a Communion. . . Daeth adgofion yn llwyth ar fy enaid. Cofiwn am yr hen ymdrechion yng Nghymmun Llanuwchllyn i weled yr Iesu a theimlo fy mod yn eiddo iddo.'

Llyfr Nodiadau O.M., Mehefin 1888.

190.   Capel Coleg Mansfield, Rhydychen.

'Bum yn gwrando ar George Macdonald heddyw yng nghapel Mansfield. Seintar fyddwch chwithau tra yn Oxford, — nid oes yma ddim Methodistiaid, — a Methodist tra yng Nghymru. Rhyw 'cross breed' o Seintar a Methodist ydych ynte?'

O.M. at Elin, Mehefin 1891.

191

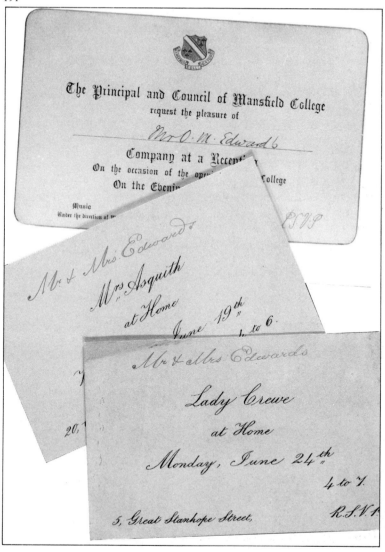

191. Y Bywyd Cymdeithasol.

'Dyma adeg yr *At Homes* a'r *Garden Parties*. Pe buasech yma, cawsech lawer o drafferth oddi wrth y rhain.'
O.M. at Elin, Mai 1892.

'Weles i rioed ffasiwn "At homes", Owen, un stylish iawn ydi un Mansfield ynte?'
Elin at O.M., Mai 1892.

192. Ystafell Wesley, Coleg Lincoln, Rhydychen. Yma y byddai O.M. Edwards yn dysgu ei fyfyrwyr.

'Yn y Wesley room yr wyf yn cymeryd fy mechgyn i gyd yrwan.'
O.M. at Elin, Ionawr 1894.

192

193

194　　　　　　　　　195

193.　Coleg Lady Margaret Hall, Rhydychen. Bu O.M. yn diwtor poblogaidd i ferched Lady Margaret Hall a Choleg Somerville. Dysgai hwy yn ei ystafell yng Ngholeg Lincoln, ac yn ôl arferiad y cyfnod, cyflogai'r colegau wraig i warchod y merched yn ystod y tiwtorial.

'Yfory yr ydys yn yr *House of Convocation* (Senedd y Brifysgol) a gaiff merched ei gradd yn y Brifysgol, ac y mae'r Rector fel pob hen Dori, yn treio codi allai at fotio yn eu herbyn. Y mae llawer iawn o hen Doriaid yn y fan yma, yn mwynhau eu hunain, ac yn ceisio rhwystro pob newid. Wfft iddynt nhw, medde fi. Mi af i yno fel hoel i fotio dros y merched.'

O.M. at Elin, Mawrth 1896.

194.　Edward Anwyl, un o ffrindiau O.M. Edwards yn Rhydychen.

'Un rhyfedd iawn ydyw Anwyl. Gwelsoch ef, — a'i goler. Rhaid iddo newid llawer ar ei ffyrdd, neu ni fydd uwch bawd sawdl byth. Y mae yma yrwan, yn treio am Gymrawdiaeth. Y mae'n ddrwg gennyf drosto, ond nid oes ganddo obaith am un... yr wyf yn credu mae'r goler welsoch chwi oedd ganddo, ac nid oedd wedi ei golchi er hynny... Dywedodd Gwenogfryn Evans iddo fynd ag ef i'w introducio i Dr Martineau, ac yna ciliodd yn ol rhag cywilydd, gan yr arogl oedd yn codi o sane Anwyl... Ond nid hyn yn unig, — nis gwyr Anwyl byth pryd i fynd... Er hynny, y mae'n greadur eithe ffeind.'

O.M. at Elin, 1890.

195.　Gwenogfryn Evans, ffrind agos O.M. yn Rhydychen.

'Y mae Gwenogfryn braidd yn anfoddog nad yw'n cael dim byd am weithio, ac y mae'n debyg ei fod yn gweld Rhys yn cael llawer iawn am wneyd pur ychydig.'

O.M. at Elin, Mai 1892.

196

196. Aelodau pwyllgorau a byrddau rheoli Prifysgol Cymru, 1894. Gwelir O.M. a'i frawd Edward ar y chwith yn rhes Urdd y Graddedigion. O.M. oedd llywydd cyntaf yr Urdd.

197

197. Elin a Mrs Hughes Griffiths.

'Yr wyf yn meddwl fy mod
wedi dweyd fy mhregeth ar eich
het wrthych, — y mae yn eich
siwtio i'r dim... ond deudwch i
mi, a fydd arnoch chwi ddim
ofn taro ei phen yn erbyn ffram
drysau?... Elin bach, o ddifri
yrwan, — mae'r pictiwr yn un
da iawn; y mae'r background yn
dda hefyd, coed bedw... Wn i
am ddim byd cyn glysed a
bedwen arian, — ond y chwi.
Cael cydio am eich canol yn
ymyl coeden fedw arian fuase
wrth fy modd i.'

O.M. at Elin, Mai 1889.

198

199

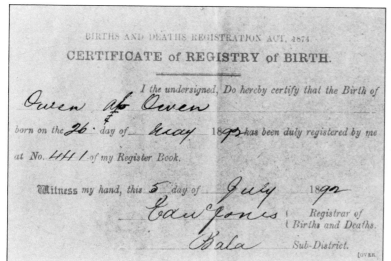

BIRTHS AND DEATHS REGISTRATION ACT, 1874.

CERTIFICATE of REGISTRY of BIRTH.

I the undersigned, Do hereby certify that the Birth of

Owen ap Owen

born on the 26 *day of* May 1892 *has been duly registered by me*

at No. 441 *of my Register Book.*

Witness my hand, this 5 *day of* July 1892

Eaw Jones { *Registrar of*
            { *Births and Deaths.*

Bala *Sub-District.*

[OVER.

200

198. Elin a'i brodyr-yng-nghyfraith adeg cynhaeaf gwair yng Nghoed-y-pry. Y brodyr (o'r chwith i'r dde): Edward, John a Thomas. Gellir casglu o awgrym cynnil O.M. Edwards fod Elin yn feichiog pan dynnwyd y llun: 'Tynnais y darlun hwn yn haf 1891 wrth glawdd Cae Murddyn rhyngo a Chae Mawr Coedypry, dyweder yn Awst. Ganwyd Ab Owen Mai 26, 1892.'

Nodyn O.M. ar gefn y darlun gwreiddiol.

199. Tystysgrif geni Ab Owen, 1892.

200. Ab Owen yn fabi, 1892.

201

201.   Ab Owen ar lin ei fam, 1892.

'Gallech feddwl, wrth fy mod lawer oddi wrth y plant, fod fy nghariad atynt yn llai. Ond maent fel cannwyll fy llygad... Mae gennyf ddau ddarlun o Ab Owen yma, pan oedd yn fabi... Bydd y darluniau yn dwyn i'm cof y difyrrwch gefais wrth ei fagu, pan fyddwn yn ei gario i bob man.'

O.M. at Elin, Mawrth 1896.

'Os medrwch gael y peth coch hwnnw a phictiwrs Ab Owen, — y rhai a dynnais i yn y Prys, — dowch a nhw.'

O.M. at Elin, Hydref 1896.

'I beth y mae arnoch eisiau llun Ab Owen, cofiwch mai ar lin Edie y mae o ag ar fy nghlin inne, ac rydw i fel ysbryd, ond dae waeth, mae'r bachgen yn glws iawn, ond rwyf yn methu cofio dim am dano yn yr oed yma, pan oedd yn 4 mis.'

Ateb Elin, Hydref 1896.

202.   Edie, chwaer Elin, yn dal ei nai, Ab Owen, 1892.

'Daeth y photographs y bore yma, maent yn bur dda onid ydyn? Edie a'r bats ydi'r gore hefyd, rydw i'n fler iawn ag wedi edrych fel wn i ddim beth. Gadewch i mi gael ryw hanner dwsin o'r un y mae bats yn edrych yn sobr ar lin Edie'.

Elin at O.M., Hydref 1892.

203.   Ab Owen a'r forwyn. Yn 1894 aeth Gwennie i weini ar y teulu yn Boar's Hill, Rhydychen.

'Cawsoch *rooms* yn ddidrafferth iawn, onid do. Hwyrach y gadawant i Gwennie gael ei bwyd yn y *sitting room* gefn honno, dydw i ddim am iddi gael yr un pryd o fwyd hefo ni eto. Dywedais wrthi heddyw am wneyd ei phethau'n barod... a dywedais wrthi hefyd fod yn rhaid iddi wisgo capie gwynion yn y ty yno, mod i'n gwybod nad oedd hi ddim yn fodlon i wneyd, ond os na wnai hi,

202

204

203

fod yn rhaid i ni gael rhywun wnai, a fod ein position yn gofyn
hynny, ag mae hynny'n ddigon gwir.'

Elin at O.M., Ionawr 1894.

204.   Sefydlu Edward, Tywysog Cymru, yn Ganghellor Prifysgol
Cymru yn Aberystwyth, 26 Mehefin 1896. Gwelir O.M. yn eistedd
ar y llwyfan ar ddeheulaw un o'r tywysogesau. Rhoddodd anerchiad
yn Gymraeg, fel Warden Urdd y Graddedigion, i groesawu'r
Tywysog.Dyma ran o'r anerchiad:

'Dydd ym mysg mil yn hanes Cymru ydyw hwn. Hyd yn oed wrth
wasanaethu Cymru bu ymryson a chamgymmeryd yn y gorphenol
pell. Ond os gellir dywedyd am ddiwrnod byth fod perffaith undeb
amcan ynddo, dyma'r dydd. Heddyw, y mae ein Tywysog yn
arwain ei genedl ar hyd y llwybr sydd wrth ei bodd — llwybr deall
a dysg. Dyma ddydd sy'n goron llawer ymdrech, a dydd sy'n
dechrau cyfnod newydd o dŵf i Gymru, cyfnod o wasanaeth
perffeithiach i'r Ymherodraeth ac i ddynolryw.'

Baner ac Amserau Cymru, 1 Gorffennaf 1896.

205

Prifysgol Cymru.   University of Wales.
Installation of the Chancellor.

ABERYSTWYTH, FRIDAY, JUNE 26th, 1896.

CARD OF ADMISSION TO CEREMONY.

Mr Owen M Edwards

Seat in Block **M.**   Entrance by Door **4 or 5.**

Approach to door by way of QUEEN'S ROAD (North), or PORTLAND STREET.

•••••••••••••••••••

This card must be shown at the barrier of the street leading to the Marquee, and to the Stewards at the Entrance.

No carriages will be allowed to enter Portland Street, Bath Street, or Queen's Road (north side) after 11.30 a.m.

Carriages will be allowed to enter Queen's Road (south side) and to set down at the corner of Queen's Square till 12 noon.

Portland Street and Queen's Road (north side) will be closed to foot passengers at 12 noon.

Queen's Road (south side) will remain open to foot passengers showing cards of admission till 1 p.m.

The Executive Committee of the University respectfully request that both members of the University and visitors will be seated in their places by 12 noon.

The Treorky Choir will sing in the Marquee from 12 noon till the commencement of the Ceremony.

THIS CARD IS NOT TRANSFERABLE.

207

206

The President and Council
of the
University College of Wales, Aberystwyth,
request the honour of the presence of
Mrs Owen Edwards
at the opening of the
Alexandra Hall of Residence for Women Students
by H.R.H. The Princess of Wales
on Friday June 26th 1896.

A reply is requested on or before June 20th
addressed to the Lady Principal

205. Tocyn mynediad O.M. i Seremoni Sefydlu'r Canghellor yn Aberystwyth.

'Bydd diwedd y mis yn adeg ardderchocaf welodd Aberystwyth erioed — Tywysog Cymru, Tywysoges Cymru, Arglwydd Salisbury, Arglwydd Roseberry, Mr Asquith yn siarad, a minnau'n mynd fel un o brif swyddogion y Brifysgol...'

O.M. at Elin, Mai 1896.

'Nid yw Ned & co lawn mor falch ag y tybiwch. Y maent yn awyddus iawn i'n cael ni yno, — tase dim ond fy mod i'n o bell ymlaen yn y seremoni, — dyna'r gwir. Bydd llawer o bwdu a ffraeo ynghylch hyn o beth. Yr oedd Gwenogfryn wedi tybio na chawsom ni wadd i'r *lunch* ac yn meddwl fy mod i'n sur. Tynnodd sgwrs y dydd o'r blaen, a chymerais innau beth trafferth i ddangos iddo y byddwn i'n ddyn go bwysig yno. Mae rhyw awydd bod yn grandia ynnom i gyd, onid oes?'

O.M. at Elin, Mehefin 1896.

208

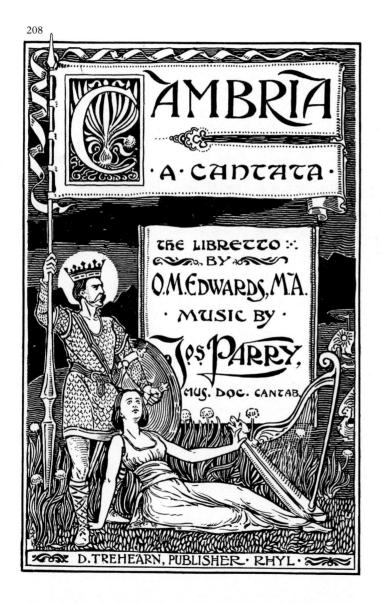

206.   Cerdyn yn gwahodd Elin i agoriad Neuadd Alexandra, Aberystwyth, 1896.

'Cefais wahodd i chwi a minnau weled Tywysoges Cymru'n agor Hall y merched, ac atebais drosodd chwi a minnau y down.'

O.M. at Elin, Mehefin 1896.

'Rhaid i'r dillad sydd gennyf wneyd y tro i fynd i Aberystwyth... Does arna i ddim eisiau rhyw grandrwydd fel Sassie [ei chwaer-yng-nghyfraith], dydi peth felly ddim yn gweddu i mi. Dillad heb fod yn tynnu sylw neb fydda i'n leicio ond eto yn neis ac yn dda.'

Ateb Elin, Mehefin 1896.

207.   Neuadd Alexandra newydd ei hadeiladu.

208.   Y Gantawd 'Cambria'. Paratowyd y gantawd ar gyfer Eisteddfod Genedlaethol Llandudno 1896, y geiriau gan O.M. a'r gerddoriaeth gan Joseph Parry.

'Ces lythyr oddiwrth Dr Parry. Y mae'r hen frawd yn meddwl y caiff ef a minnau *reception* ardderchog ar y diwedd.'

O.M. at Elin, Gorffennaf 1896.

209. Market Street, Rhydychen. Bu O.M. yn lletya yn Rhif 13 am gyfnod wedi ei apwyntiad i Goleg Lincoln ac yn 1896 ceisiodd ddenu ei wraig i ymweld â Rhydychen. Llogodd ystafell iddi yn 13 Market Street ond derbyniodd lythyr chwyrn oddi wrth Elin yn gwrthod y gwahoddiad.

'Beth wyf i yn dwad i Oxford a ninnau yn ffraeo cymaint, gwell i mi o lawer gadw i ffwrdd am y term yn gyfan, er mwyn edrych a fydd ddim yn bosib i ni gytuno yn well. A diolch hefyd i chwi pwy gysgodd ar ymyl bellaf y gwely am nosweithiau cyn mynd i ffwrdd, heb hidio a oedd pwy bynnag arall oedd yn y gwely yn gynnes ai peidio.'

Elin at O.M., Hydref 1896.

209

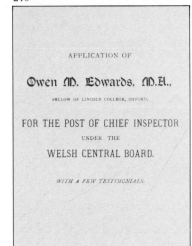

210

APPLICATION OF

Owen M. Edwards, M.A.,

FELLOW OF LINCOLN COLLEGE, OXFORD,

FOR THE POST OF CHIEF INSPECTOR

UNDER THE

WELSH CENTRAL BOARD.

WITH A FEW TESTIMONIALS.

210. Cais O.M. am swydd Prif Arolygwr y 'Central Welsh Board', 1897. Apwyntiwyd Owen Owen.

'If elected Inspector, I would regard helping the Central Board to organize and develop intermediate education as the work of my life.'

O.M., Chwefror 1897.

'Gwyddoch fod *chief inspectorship* yr *intermediate schools* i'w rhoi'n fuan, — yn gynnar y mis nesaf, — a fyddai'n well i mi dreio am honno? Y mae'r gyflog yn £600 ac *expenses*: rhyw dipyn dros £500 wyf yn gael yma... Wrth gwrs nis gwn a etholid fi pe cynhigiwn fy hun. Mae Owen Owen, meddir, wedi rhoi tri o'i berthynasau ar y *committee* bychan sy'n dewis, — er mwyn cael y lle ei hun.'

O.M. at Elin, Ionawr 1897.

'Yn y benbleth yr wyf o hyd, — weithiau y ffordd yma, weithiau y ffordd arall. Yr wyf am yr *inspectorship* heddyw; ond fel arall yr oeddwn ddoe... Os af, a'i chymeryd, a'i chael, bydd raid i mi roi pob gwaith arall i fyny; ond ni waeth gen i hynny damed. Os arhosaf yma, wedi peidio ei chael, torraf fy nghysylltiad â phob symudiad yng Nghymru ar unwaith. Nis gallaf wasanaethu Oxford a Chymru o hyn i ddiwedd fy oes, — rhaid penderfynu rhyngddynt yrwan. Yrwan amdani ynte.'

O.M. at Elin, Chwefror 1897.

211. Ab Owen yn cysgu.

'Carai flodau a phlant, carai bob peth. Ni wnaeth erioed ond tro caredig, ni ddywedodd ond gair caredig. Medrai dorri digon o lythrennau i ysgrifennu llythyr Cymraeg at ei dad, ac nid oedd ball ar ei gariad at lyfrau darluniau. Canai ambell dôn hefyd.'

Cymru'r Plant VI (1897)

Ar y garreg fawr yn yr afon dan Dŷn y Ffrid.

Y fi'n gwaedi ar Ned, oedd yn tynnu'r pictiwr, er mwyn i Ab Owen fach winglyd fod yn llonydd.

211

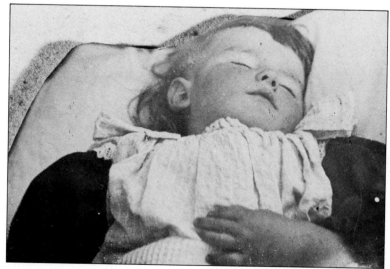

212. 'Ab Owen fach winglyd' yn aros yn llonydd. Ysgrifen O.M. sydd ar y llun.

213

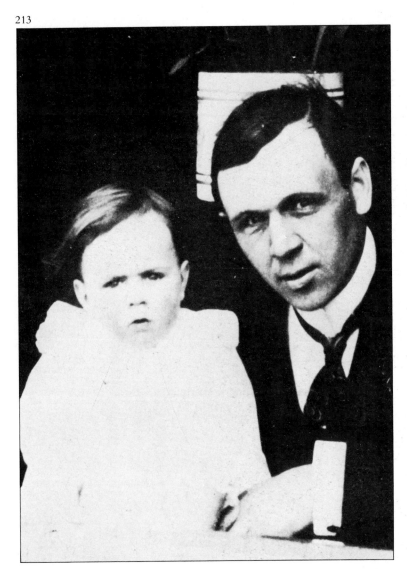

214

213. Edward Edwards a'i nai, Ab Owen.

'Mi ges dy ddarlun oddi wrth dy dad ychydig yn ôl, a dyma fi yn anfon fy un ine i ti. Wrth gwrs dydi o ddim gen glysed a dy un di, — dois dim posib iddo fo fod felly, ond mi ddywed pawb sydd wedi ei weled o ei fod o yn un pur dda ac yn bur debyg i dy ewythr, — Ar y mantlepiece y mae cadw pictiwrs neis, ynte? — felly y mae 'Ap' gen i... Anfon *yn fuan* i mi dy farn am y darlun.'

Edward Edwards at ei nai, Ab Owen, Hydref 1893.

214. John Edwards a'i nai Ab Owen.

'... fy annwyl Ab Owen, a'i wen ar ei wyneb, — flodeuyn tlws...'

John at O.M. ac Elin, Mawrth 1897.

215. Llun o O.M., o'r *Drysorfa*, 1894.

'Gadewais y Drysorfa fawr ar yr *easy chair* bore heddyw, heb feddwl wyddoch, ac peth gyntaf welwn i oedd y bachgen yn dechre troi ei ddalennau fel poer llyfn wyddoch, a phan welodd eich llun dyma fo'n gwaeddi arna i "dada dada dada" ag yn chwerthin ac yn rhedeg a fo i'r gegin i'w ddangos i Gwennie ac yn dal i waeddi "dada" wrth fynd, fu erioed siwn sport erioed.'

Elin at O.M., 1894.

216. Ab Owen a'r morynion, Jane a Lizzie. Mae Ab Owen yn gwisgo bathodyn Urdd y Delyn. Bu'r ddwy chwaer o Lanuwchllyn yn forynion ym Mryn'r Aber ac yn 3 Clarendon Villas. Jane sydd ar y chwith.

'Synnais glywed fod Jane am ymadael. Yr wyf yn credu mai hi yw'r forwyn oreu a gawsom erioed... Y mae wedi ein gwasanaethu'n dda iawn.'

O.M. at Elin, Ionawr 1897.

215

216

217

218

217. Thomas Edwards (Twm) a'i nai Ab Owen.

218. Ab Owen a'i nain, Bet Coed-y-pry, yn mynd ar daith.

219

219. Ab Owen a'r ceffyl pren.

'Dylech ddysgu cymaint fedrwch ar Ab Owen. Y mae ganddo ddigon o ben, ond ei fod yn rhy benderfynol. Dylai ddysgu llawer bob dydd yrwan. Onide, byddwch fel gwraig Robert Lloyd, yn myned oddiamgylch i wneyd daioni; ac yn esgeuluso'ch plant.'

O.M. at Elin, Hydref 1896.

221

220

220.　Ab Owen wedi graddio i'w drowsus, 1896.

'Ar un olwg, y mae'n ddrwg iawn gennyf glywed fod Ab Owen wedi mynd i'w drowsus. Piti na fuasai yn aros yn bedair oed o hyd, onide? Y mae'n debyg na chaf ei weled yn ei bais eto.'

O.M. at Elin, Ebrill 1896.

221.　Neges O.M. o Goleg Lincoln i ddifyrru Ab Owen. Ifan yw'r 'babi' y cyfeirir ato.

'Mae'r babi yn methu dyfeisio ymhle y gallech fod, yr oedd o'n gwaeddi tada yrwan ac yn methu dyfalu ymhle yr ydych. Mae Ab Owen yn eich disgwyl adre pan fydd y bys bach ar 4 heddyw. . .'

Elin at O.M., Ionawr 1897.

222

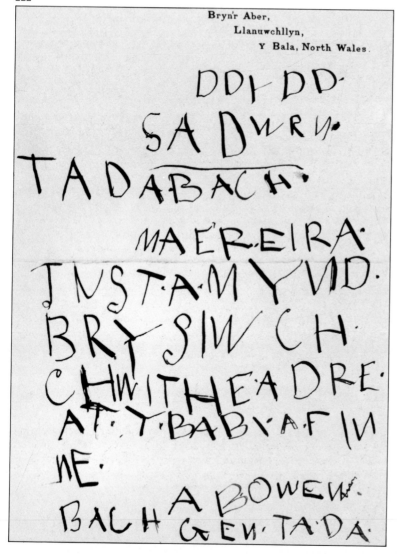

223

222. Llythyr Ab Owen at ei dad yn Rhydychen.

'Mae Ab Owen yn holi bob dydd pryd y daw tada adre'.

Elin at O.M., Chwefror 1896.

'Yr oedd yn dda gennyf gael llythyr Ab Owen. Buom yn dadlau yn y Common Room neithiwr; dywedai Munro a Williams mai peth gweddol hawdd i rywun yn meddu deuddeg o blant oedd colli un rhagor i rywun nad oedd ganddo ond un. Dywedais na oeddwn i'n gwybod yn brofiadol ond am ddau, a dywedais fod colli un o ddau yn llawn mor anodd i ddiodde a cholli unig un. A chan fod gen i brofiad, myfi aeth a'r dydd.'

O.M. at Elin, 22 Hydref 1896. (Ym mis Mawrth 1897, bu farw Ab Owen).

223. Ateb y tad.

224

225

224. Tystysgrif marwolaeth Ab Owen, 9 Mawrth 1897.

'Bu Ab Owen farw bore heddyw am wyth... Rhaid claddu bore yfory, — a'r ddwy nurse a minnau fydd yn cario ei arch, a Dafydd a Thom Coedypry a Lewis Davies yn ein dilyn yn y pellter. Yr ydym ein dau wedi ein syfrdanu... Gweddïwch drosom.'

O.M. at Hughes, ei frawd-yng-nghyfraith, gŵr Kate Y Prys, Mawrth 1897.

'His mother had been entirely prostrated before I came. I nursed him alone, delirious in a raging fever, on Friday evening and Saturday morning. On Saturday afternoon an excellent nurse came from Liverpool, but the boy would not let me out of his sight, — and I shall never forget the mute pleading of his eyes, the most beautiful I have ever seen, and I absolutely powerless to relieve him. On Monday another nurse came from Liverpool, and the two doctors did all they could. I could not let go my hold of him, he was mostly in my arms till I put him down this morning to die calmly. He had done his best to help us, and his mother had spared no pains to make him a healthy boy, — he conquered scarlet fever, diptheria, and croup, and then died from sheer exhaustion. I wish you could have seen him a few minutes after death, — he was simply perfect loveliness. The iron has entered my soul... But my wife and I are continually coming across his toys, his little clothes, his flower beds, — and I really do not know why reason remains.'

O.M. at Warde-Fowler, Is-bennaeth Coleg Lincoln, Rhydychen, Mawrth 1897.

'Nos Wener, mewn ing anesgrifiadwy wrth wylio ei wely, sylweddolais y gallai y byddai raid i mi ffarwelio âg ef; ac ni freuddwydiais erioed fod ffarwelio ar fin tragwyddoldeb yn beth fel hyn. Pan syrthiodd gwawr y nawfed dydd o Fawrth ar ei wyneb dros y Berwyn, yr oedd ei nerth bach wedi darfod. Rhoddais ef ar ei wely; rhoddodd ei ddwylaw wrth ei ochr, gan ddal i edrych arnaf o hyd. Darfyddodd fel y dydd, — fel pe'n syrthio i gwsg. Nis gallaf feddwl am farw ond fel peth prydferth mwy.'

Cymru'r Plant VI (1897)

225. Owen ac Ab Owen.

226

Railway Station (G.W.R)
&
Telegraph Office:
Bala (3 miles)

Cynlas.
Corwen.

Anwyl Owen

  Yr wyf beunydd, beunydd yn
meddwl am danoch chwi   a
Mrs Edwards yn eich trallod mawr.
Mae'm calon yn brifo drosoch.

  Rhyw warmage garw, yplormus
i chwi ydyw hwn ond feallai
y daw yr haf a charedigrwydd
gydag ef.

              Yr eiddoch yn lwir

                Thomas E. Ellis.

226. '. . . ond fe allai y daw yr haf a charedigrwydd gydag ef'.
Cydymdeimladau T.E. Ellis ar golli Ab Owen, 1897. Yn ystod haf
1898 fe aned merch i Elin ac O.M. a bedyddiwyd hi yn 'Haf'.

227. Tystysgrif geni Haf.

227

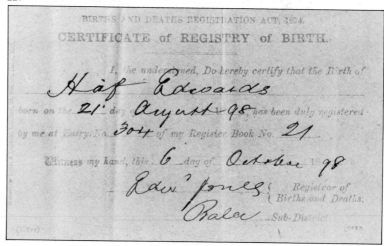

BIRTHS AND DEATHS REGISTRATION ACT, 1874.
CERTIFICATE of REGISTRY of BIRTH.

I, the undersigned, Do hereby certify that the Birth of

Haf Edwards

born on the 21 day August 98, has been duly registered
by me at Entry No. 304 of my Register Book No. 21

Witness my hand, this 6 day of October 1898

              Edw Jones { Registrar of
                        { Births and Deaths.

              Bala   Sub-District

228

228. 3 Clarendon Villas. O 1898 tan 1907, dyma gartref y teulu yn Rhydychen am chwe mis y flwyddyn. Bryn'r Aber, Llanuwchllyn, oedd y cartref am hanner arall y flwyddyn.

'Y mae un peth yn amlwg, — rhaid i ni, yn ol pob tebyg symud o Lanuwchllyn i fyw. Os aros yma, rhaid i ni gymeryd ty yma. Dywedai'r *rector* fod hyn yn ddyledswydd arnom, ac yr wyf bron a dod i'r penderfyniad hwnnw fy hun. Rhyfedd fel yr wyf yn teimlo'r cylymau rhyngof a Llanuwchllyn yn llacio. . .'

O.M. at Elin, Ionawr 1897.

229. Yr olygfa o ystafelloedd 3 Claredon Villas, Rhydychen.

'Mae'r dyn bach hwnnw yn cwyno peth, — hwnnw gymerodd 3 Claredon Villas. Gorfod iddo gostio llawer, meddai ef. . . Ychydig oedd y *fixtures* werth, — gofyn a gaiff hwy at y *dilapidations*. Y mae *curtains* oedd ar y *dining room* yn sal hefyd; tyllau ynddynt . . . Ni fynn garped y dining-room ychwaith, gall gael un newydd yr un fath am lai o bris.'

O.M. at Elin, Ebrill 1907.

229

230

231

232

233

230/231/232/233. Prynhawn o haf yng ngardd 3 Clarendon Villas, Rhydychen. Tynnwyd y lluniau gan O.M.

230. Ifan a Haf.

231. Elin, Ifan, a Haf ym mreichiau Lizzie, y forwyn o Lanuwchllyn.

232. Haf ac Elin.

233. Lizzie ac Ifan.

234

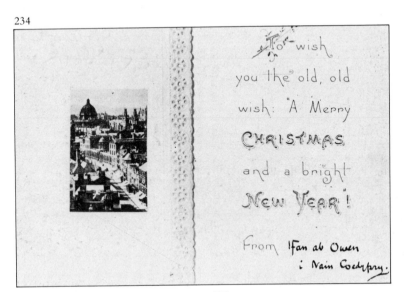

236

234. Cerdyn Nadolig 1897 oddi wrth Ifan ab Owen at ei nain, Beti Edwards Coed-y-pry. Ysgrifen O.M. sydd ar y cerdyn, a gwelir ar y clawr lun o'r 'High', stryd enwog Rhydychen.

235

235. Teulu cytûn yn Rhydychen.

'Yr ydych yn gwmni wrth fy modd i; a'r job oreu a doethaf a wnes erioed oedd eich priodi... yr wyf yn siwr fod ein cariad at ein gilydd, er gwaethaf ambell awel fechan, yn mynd yn gryfach o hyd.'

O.M. at Elin, Hydref 1895.

236. Y morynion Jane a Lizzie (ar y chwith) yng nghwmni Ifan a Haf yn Rhydychen.

238

237

237. Siop 'Boffin' yn Rhydychen. Daeth 'cherry cake' Boffin yn rhan anatod o de yn 3 Claredon Villas.

'Yr oeddwn yn Rhydychen yn y Gaudy... Cysgais yn fy hen rooms yn y Coleg. Eis o gwmpas ryw ychydig, ond ni chefais amser i weld ein hen dy ni. Prynais *cherry cake* yn Boffin, i gofio am y te fyddem yn gael yn No 3 Clarendon Villas... Piti na fuaset yma i gael cherry cake Oxford; ond byddwn yn meddwl am danat wrth ei bwyta.'

O.M. at Haf yn Ysgol Dr Williams, Dolgellau, Mehefin 1913.

238. Elliston and Cavell. Hon oedd hoff siop Elin ac y mae llythyrau O.M. at ei wraig yn cynnwys nifer o ddisgrifiadau o ffenestri'r siop ac o'r cwsmeriaid ffasiynol.

'Mi fuaswn yn bur brysur yn chwilio am ddres newydd yrwan pe buaswn yn Oxford. Rydw i'n siwr fod siop Elliston yn grand yrwan tase rhywun yn medru deyd wrthyf.'

Elin at O.M., Mai 1893.

239

240

241

239/240/241.   Gwyliau'r haf. Ifan a Haf yn Llanuwchllyn. O.M. oedd y ffotograffydd.

239.   Haf yn cyrchu am Goed-y-pry.

240.   Y Pysgotwr. Ifan a Haf ar lan Afon Twrch.

241.   Haf yn dringo.

242/243.   Lluniau a dynnwyd gan O.M. yn ei fro enedigol. Byddai Elin yn aml yn ei ddwrdio am wastraffu arian ar 'dynnu pictiwrs'.

'A wnewch chi roi'r *bill* yma ar y *file*? Bil am wneyd y pictiwrs rheini dynnais wrth Dy'n y Fedw ydynt. Y mae un neu ddau ohonynt yn dlysion iawn...'

O.M. at Elin, Hydref 1896.

244.   Te parti yn Llanuwchllyn. O.M. yn ei gap a Haf ar ei law dde. Gwelir Ifan yn ei siwt forwr a Bet, mam O.M., yn eistedd wrth ochr Haf.

'Te parti, cymanfa ganu, — gwyn fyd na buaswn yn Llanuwchllyn, yn lle bod yn parattoi darlithiau... Taith i ben y Cledwyn leiciwn gael, a gweld y mwg glâs, — yn arwydd o'r tecell ar y tân, — yn ymddyrchafu o gorn simdde Caerhys, — Caerhys, nage, o hyn allan Coedypry ynte?'

O.M. at ei frawd, Hydref 1885.

242

243

244

245

246

245.   Angladd T.E. Ellis yn y Bala, Ebrill 1899. Traddododd O.M. deyrnged i'w ffrind ar ddydd ei angladd ac ysbrydolodd ei eiriau etholwyr galarus Meirion.

'Trwy ryw dro rhyfedd ar olwyn Rhagluniaeth, cefais fy ngalw i gymryd rhan o'i waith, er braw i mi. Ni feiddiwn wrthod, er mwyn y cof amdano. Teimlwn ei law ar fy ysgwydd, megis yn yr amser gynt.'

Cymru XVI (1899).

246. O.M. ychydig funudau wedi ei ethol yn Aelod Seneddol, 2 Mai 1899.

'Pan gafodd ei ddewis i ddilyn Tom Ellis dros Sir Feirionnydd, daeth ataf i ofyn cynghor, fel y gwna llawer ar ol penderfynu dilyn eu cynghor eu hunain. . . Dywedwn wrtho na wnai aelod seneddol llwyddiannus, — ei fod yn rhy hen yn dechreu, a'i gariad yn ormod at lenyddiaeth. Meddwn, — "You have not the necessary push nor the fighting spirit; you know too much history to talk with *confidence* on all subjects, and the public dislikes moderation. You have not enough effrontery to get into the front rank, and you will never be happy in a back seat." Gwyddwn yn iawn na wnai wrando arnaf, a gwyddwn wrth wênau Mrs Edwards ei bod yn balchïo am ddewisiad "O.M.".'

Gwenogfryn Evans, Cymru LX (1921).

247. Y datganiad swyddogol, 1899. Etholwyd O.M. yn ddiwrthwynebiad yn Aelod Seneddol dros Sir Feirionnydd.

'Yr wyf wedi bod mewn pryder mawr. Penderfynais i ddechrau nas medrwn. Yna gorchfygwyd fi, — nis gwn gan beth. Safaf os bydd fy eisiau. Ond byddai'n rhyddhad mawr i mi pe dewisiai Meirion rywun arall. . . Y mae'n gyfle i godi Cymru — yr wyf yn teimlo fod yn rhaid i mi wneyd beth orchmynir i mi. Yn onest gwell gennyf beidio, ond gwnaf os bydd eisiau.'

O.M. at gyfaill, Ebrill 1899.

248. Rhyddfrydwyr Meirionnydd yng nghwmni'r Aelod Seneddol newydd.

'Ychydig oedd ei ddiddordeb mewn gwleidyddiaeth a phynciau'r dydd. Ni chymerodd ar hyd ei oes, yn wir, ddiddordeb mewn gwleidyddiaeth ond gwleidyddiaeth pobl wedi marw. . . Llusgo ewig i efail a rhoi bronfraith gyda'r brain fu ei anfon erioed i'r Senedd.'

D.R. Daniel, Cymru LX (1921).

247
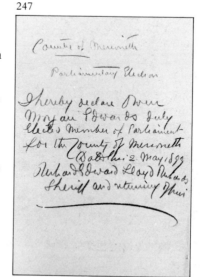

248

249

Certain and Early Divisions

On Monday July 10th. the Tithe
Rent-charge (Rates) Bill will be
considered in Committee, as
the first Order.

Your attendance is earnestly
and particularly requested, and
on each day, during the Committee
stage of the Bill.

H.J. Gladstone

250

HOUSE OF COMMONS.

Member's Name. O M Edwards. Esqr.

Visitor's Name. Rai George Blackworth

Address. Penrhyncoch.

Object of Visit. Admission for 2.

If for admission, please state for how many.

Time of handing in Card. 7. O'clock

251. Gwledd yng Ngholeg
Lincoln tua 1900 pan oedd
O.M. yn Gymrawd yno.

249. Gorchymyn oddi wrth Gladstone i Aelodau Seneddol ei blaid
fod yn bresennol i ymladd yn erbyn y 'Tithe Rent-charge (Rates)
Bill', 1899.

'Pan oeddwn ar gychwyn ysgrifennu llythyr atoch yn Nhŷ'r
Cyffredin am bedwar o'r gloch y bore heddyw, canodd y *division bell*
a gorfod i mi frysio ymaith.

Buom yn y Tŷ trwy'r nos, yn ymladd yn erbyn y Tithe Bill. Nid
oedd arnaf ddim eisio cysgu. Cymerais de a thost tuag un o'r gloch
y bore; a hyfryd oedd gweled y bore yn gwawrio arnom. Daeth y
cwbl i ben rhwng pedwar a phump; a chefais amser i gerdded yn
gysurus i Paddington erbyn y tren 5.40.'

O.M. at Elin o Dŷ'r Cyffredin, 1899.

250. Tocyn yn caniatâu mynediad i Dŷ'r Cyffredin i westai O.M. o
Benrhyn-coch. Nid oedd gan O.M. fawr ddiddordeb mewn gyrfa
wleidyddol ac ar ôl blwyddyn ildiodd ei sedd i Osmond Williams, a
chanolbwyntiodd ar ei waith yng Ngholeg Lincoln.

251

252

Menu.

Potage.
Consommé aux pointes d'asperges.

Poissons.
Mayonnaise de saumon.
Soles en aspic.

Lincoln College

BUMP SUPPER,

Thursday, · May · 24th,

1906.

Entrées.
Crevette en aspic.
Chaudfroid de volaille.

Relevè.
Quartier d'agneau à la Broche.
Canetons rôtis.
Langues de bœuf à l'Ecarlati.

Entrémets.
Gateau Napolitaine.
Gelée de Dantzic.
Bagatelle au vin.

Glacè.
Pouding à la Nesselrode.

Toast List.

"THE KING"
The Sub-Rector.

"THE CREW"
The Sub-Rector.

"THE VISITORS"
Mr. A. W. Skrine.

252. Bwydlen un o wleddoedd Coleg Lincoln. Byddai O.M. yn mwynhau yr achlysuron yma, ac yr oedd yn barod iawn i dderbyn y gwahoddiadau cyson i giniawa yn rhai o golegau eraill Rhydychen.

253. O.M. a Mary J. Williams, y gantores, yng Ngholeg Lincoln.

'Rhyw chwiaden o beth ydyw, gwyneb heb fod yn dlws iawn, ond medr ganu'n ardderchog.'
O.M. at Elin, Medi 1890.

254. Cerdyn Nadolig 1900.

253

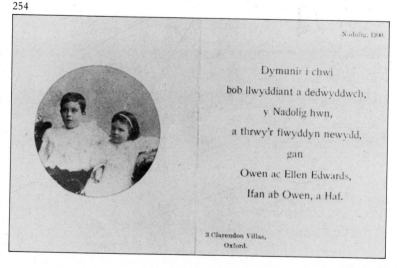

254

Nadolig, 1900.

Dymunir i chwi

bob llwyddiant a dedwyddwch,

y Nadolig hwn,

a thrwy'r flwyddyn newydd,

gan

Owen ac Ellen Edwards,

Ifan ab Owen, a Haf.

3 Clarendon Villas,
Oxford.

255. Cyhoeddi Edward VII yn frenin, 1901. Gwelir O.M. wrth borth Eglwys y Brifysgol Rhydychen. Ef yn unig sydd yn ymwybodol o'r camera.

255

256

Feb. 25. 1902.   94 Southmoor Road
                                          Oxford.

This is to show that on the above date I received
from Mr. O-M. Edwards, M.A. Lincoln College the
sum of twelve pounds as loan, and that
I owe him the said sum.
£12. 0. 0
                                    W.J. Gruffydd

257

78 New St
Portmadoc
Medi 14 '9-

Anwyl O.M.:
                    Braidd nad
wy'n chwennych Cadair
Rhyl. Pa Lyfrau ddylwn
i ddarllen cyn canu fy
Awdl? Hoffwn wybod
popeth ellir am Geraint
ac Enid. Cyffarwyddwch
fi'n fyr. gyda chofion
fel a mwy.
                    Yr Eiddoch
                    Eifion Wyn

256. Y Cymwynaswr. Bu O.M. yn gefn ariannol i W.J. Gruffydd yng nghyfnod ei dlodi fel myfyriwr yng Ngholeg Iesu, Rhydychen.

'Fy angen mawr yw angen am arian *yn awr* i dalu fy llety. A fuasai'n ormod i mi geisio benthyca £12 gennych chwi i dalu am fy llety am y term yma?...Mae'n hollol amhosibl gweithio dim a phryder ariannol yn pwyso ar feddwl dyn.'

W.J. Gruffydd at O.M., Chwefror 1902.

257. Eifion Wyn yn gofyn am gyfarwyddyd ynghylch pwnc yr Awdl yn Eisteddfod Genedlaethol y Rhyl, 1904. (J. Machreth Rees a gafodd y Gadair.)

258

259

260. Anrheg myfyrwyr Coleg Lincoln ar ymadawiad O.M. yn 1907.

'Y mae'r gwas newydd drefnu'r tecell wrth y tan, i mi gael gwneud te i mi fy hun ...Ond, ysywaeth, dyma'r Sul olaf am byth i mi gael bod yma. Bendith ar yr hen le, cefais waith caled yma erioed, ond digon o ryddid a llawer o fwyniant. Beth bynnag a ddaw, gallaf edrych yn ol gyda hiraeth pleserlawn.'

O.M. at Elin, Mehefin 1907.

260

258. Ystafell fwyta Merry. Yma, ar 22 Mehefin 1907, y ffarweliodd O.M. â'i gyd-ddarlithwyr yng Ngholeg Lincoln ar ôl ei apwyntiad yn Brif Arolygwr Addysg Cymru.

'Yr oedd y Rector, Munro, Marchant, Sidgwick a Maberley yn sefyll yn gylch [yn ystafell fwyta Merry]. "Now turn round," ebe'r Rector, gan gydio yn fy ysgwyddau. Troais, ac yr oedd yno gloc. Nis gallwn feddwl na dweyd dim, na gweld fawr. Peth melyngoch oedd, a phlat arian ar ei waelod. Nid oedd gennyf un syniad fod ganddynt gymaint o feddwl ohonof.'

O.M. at Elin, Mehefin 1907.

259. Anrheg ffarwel ei gyd-ddarlithwyr yng Ngholeg Lincoln.

261

262

261. Whitehall. Yn 1907 cydiodd O.M. yn ei swydd yn Brif Arolygwr Addysg Cymru.

'Y mae gennyf *office* fawr a braf iawn, yn edrych allan ar Whitehall. Dywedwch wrth y plant fy mod yn ymyl yr Horse Guards ...Syr Hugh Owen oedd yn yr ystafell o fy mlaen.'

O.M. at Elin, Ebrill 1907.

262. Y Prif Arolygwr disglair.

'Mae fy mawredd yn disgleirio. Clywais ryw grwtyn yn dweud yn Llanelli wrth i mi basio. 'Dere yma...dyna ddyn a matsus yn tanio yn ei geg e.'

O.M. at Elin, 1909.

263. Jones Hotel, Suffolk St., Pall Mall. O 1907 tan ei farw dyma'r lle y bu O.M. yn lletya yn ystod ei ymweliadau â Whitehall.

'Gallech feddwl fod ystormydd yn rhuo ac yn wylofain ac yn ochneidio o gwmpas y ty yma, fel y bydd weithiau o gwmpas Bryn'r Aber ...pan fyddwch chwi'n methu cysgu oherwydd yr ystorom. Ond nid ydyw ond swn dibaid y buses, y ceffylau, ac yn enwedig y motor buses. Cynefinaf a hwy cyn hir, ac ni chlywaf hwy.'

O.M. at Elin, Ebrill 1907.

'Ar gyfer fy ffenest, fel y gwyddoch, y mae wal fawr, dal, ddall. O ffenestr y Dining Room gwelaf ystryd gul, wlawog. Ac yn lle hynny, gartref, y mae caeau gwyrdd, a choed prydferth, a'r Aran ogoneddus, i'w gweled. Ond rhaid i bawb ennill ei damaid; ac os oes rhaid dioddef tipyn bach o anghysur, pa waeth?'

O.M. at Elin, Chwefror 1910.

263

264

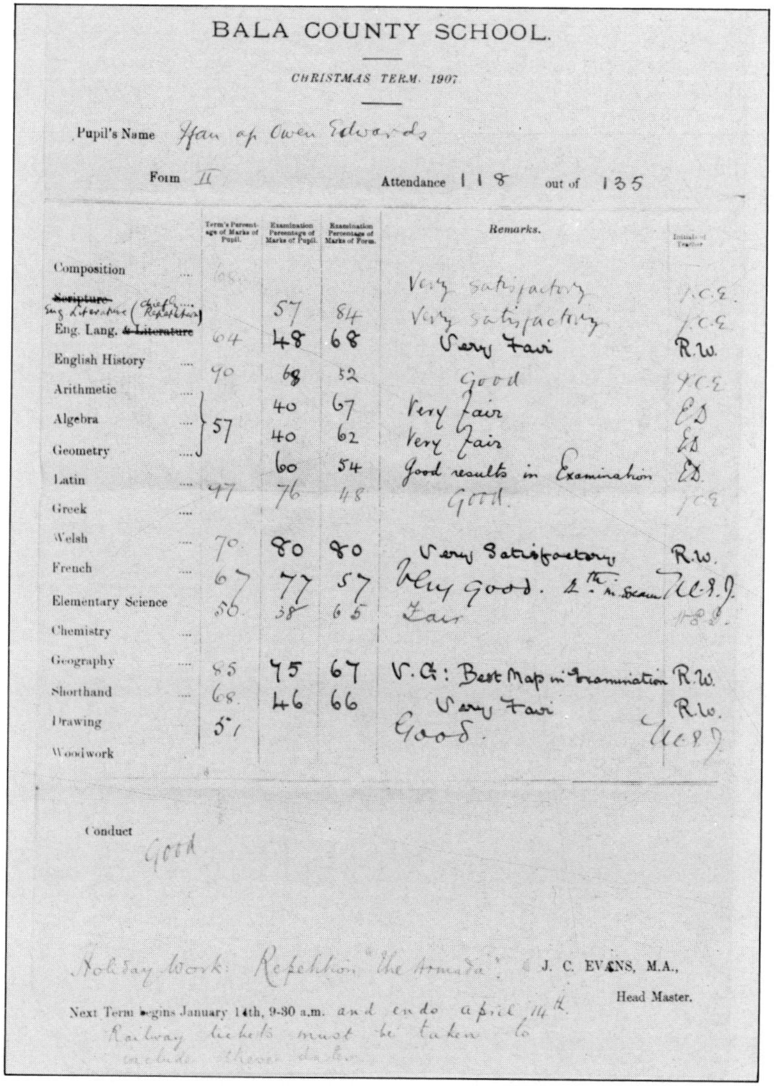

BALA COUNTY SCHOOL.

CHRISTMAS TERM. 1907

Pupil's Name Ifan ap Owen Edwards

Form II Attendance 118 out of 135

	Term's Percentage of Marks of Pupil.	Examination Percentage of Marks of Pupil.	Examination Percentage of Marks of Form.	Remarks.	Initials of Teacher
Composition	68				
~~Scripture~~ Eng. Literature (Chief Repetition)		57	84	Very satisfactory	J.C.E.
Eng. Lang. ~~& Literature~~	64	48	68	Very Fair	R.W.
English History	90	68	52	Good	J.C.E.
Arithmetic					
Algebra	57	40	67	Very fair	E.D.
Geometry		40	62	Very fair	E.D.
Latin		60	54	Good results in Examination	E.D.
Greek	47	76	48	Good.	J.C.E.
Welsh	70	80	80	Very Satisfactory	R.W.
French	67	77	57	Very Good. 2nd in Exam	W.E.J.
Elementary Science	56	38	65	Fair	W.E.J.
Chemistry					
Geography	85	75	67	V.G.: Best Map in Examination	R.W.
Shorthand	68	46	66	Very Fair	R.W.
Drawing	51			Good.	W.E.J.
Woodwork					

Conduct Good

Holiday Work: Repetition "The Armada". J. C. EVANS, M.A., Head Master.

Next Term begins January 14th, 9-30 a.m. and ends April 14th. Railway tickets must be taken to include these dates.

265

Oxford High School.

Kindergarten.

REPORT.

Hāv Edwards. Spring Term. 1903

Attendance.		Irregular.
Number of times: Absent 19 days. Late not once.	General Remark:	Conduct. Very good. All her work is very careful – her satisfactory progress is greatly owing to her keen sense of observation.
	Kindergarten Occupations.	Satisfactory – she has a good idea of form & a steady hand.
	Reading	Has made good progress.
	Writing	Much improved of late.
	Arithmetic	Satisfactory –

Mistress C. E. A. Steward –

Head Mistress R. M. Haig Brown

School re-opens April 30th. Term ends. July 24th.

264. Adroddiad Ifan, Ysgol Ramadeg y Bala, 1907.

'Gwaith pennaf ysgol ydyw datblygu cymeriad, i roi i'r bachgen yr hyfforddiant hwnnw a'i cynorthwya i weithredu yn effeithiol ac yn anrhydeddus.'

Anerchiad a draddodwyd gan O.M. yn Ysgol Ganolradd y Trallwm, 1907.

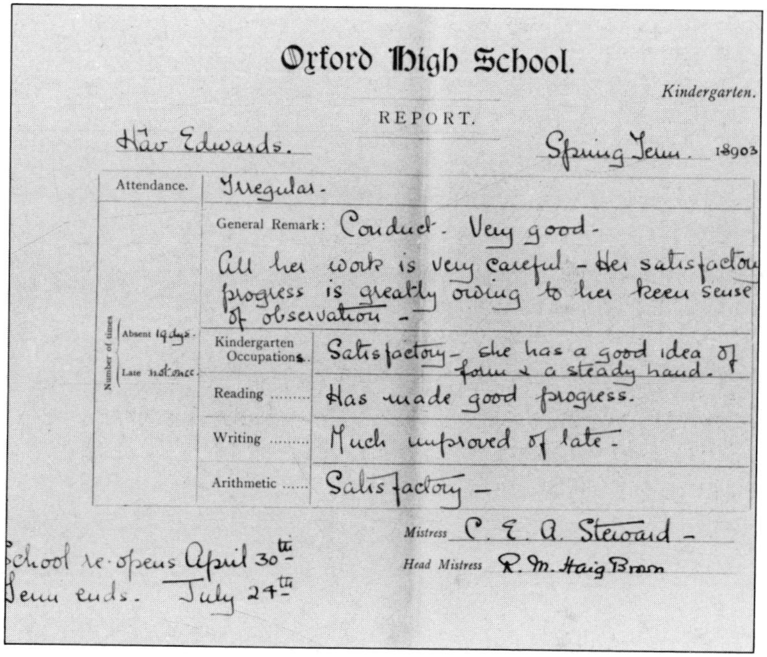

265. Adroddiad Haf, Oxford High School, 1903.

'Nid yw'n fawr o beth gen i a basi arholiadau ai peidio. Y peth sy'n bwysig yw dy fod yn mwynhau dy waith.'

O.M. at Haf, Hydref 1913.

266a/b. Sasiwn y Plant, Y Bala, a Haf yn ei het ar gyfer yr achlysur (gyda Ifan a Ieuan Hughes).

'Daeth eich het leghorn wedi ei ail-thrimio, aerophane gryn drosti a ribbon velvet du, yn lle'r un glas arni. Mae yn reit glws. Felly dowch a'ch *plain* sailor am eich pen yn unig. Y navy costume, eich ffrock wen, gawsoch yng Nghaer, a'ch rain proof coat. Gwnaiff honno i chwi fynd ar eich braich i'r Sasiwn Plant, i roi ar eich *frock* wen i ddwad adre'r nos. Cewch air eto.'

Cofion serchog Mami.

Elin at Haf, d.d.

266a

266b

267

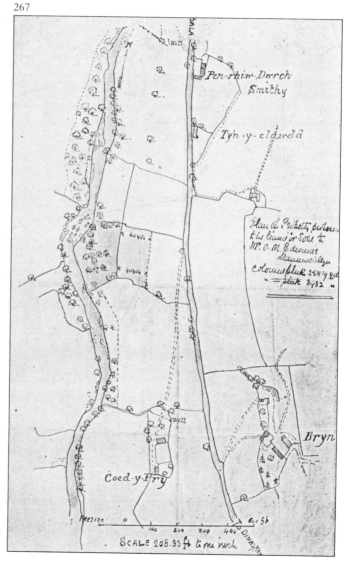

267. Cynllun a baratowyd ar gyfer O.M. pan y ceisiodd brynu Cae
Ceunant er mwyn codi Y Neuadd Wen. Ond nid oedd hawl gan y
meistr tir werthu rhan o'i etifeddiaeth ac adeiladwyd y tŷ newydd ar
gae yr oedd O.M. eisoes wedi ei brynu gerllaw Bryn'r Aber.

'Rhyw dro, yr wyf am brynu neu godi ty yn Llanuwchllyn, gael i
mi gael byw yn eich hymyl. Ond i'r dyfodol y perthyn hyn oll.'

O.M. at ei dad a'i fam, Mai 1891.

'Yn rhywle yng Nghynllwyd, o gyrraedd pobl, y leiciwn i gael
tŷ...'

O.M. at Elin, Chwefror 1891.

268

268. Cae Ceunant. Drwy'r cae yma y cerddai O.M. o Goed-y-pry i bentref Llanuwchllyn.

'I lawr hyd Gae Ceunant y leiciwn i ddyfod heno — ond yr wyf yn bell oddi yno; ni chaf ond gyrru llythyr atoch, a rhaid i hwn drafaelio drwy'r nos. Byddwch yn eneth dda a gwyliwch fynd yn hen ferch.'

O.M. at Elin, Chwefror 1891.

270. Llanuwchllyn 1914. Yma gwelir yr orsaf, Plasdeon yn y coed, Y Neuadd Wen, a'r Prys Mawr yn y pellter.

'Gerllaw gorsaf rheilffordd Llanuwchllyn all teithwyr weled palasdy newydd hardd sydd yn cael ei godi gan O.M. Edwards. Mae y ty bron yn barod a fel y gallesid disgwyl mae'n addurn i'r gymdogaeth.'

Y Goleuad, 18 Mai 1908.

269. Gosod sylfeini'r Neuadd Wen, 1907.

'Mae yn dda gennyf ddeall y bydd Mrs Edwards a'r plant yma i roi y garreg sylfaen. Hyderaf hefyd am iechyd, ag am amser ddiddamwain i ni oll fel gweithwyr, i wneud eich cartref newydd yn barod erbyn yr hâf nesaf a dymunaf i chwithau fel teulu iechyd a bywyd i'w weled wedi ei orphen, a hir oes a iechyd, a chysuron bywyd i chwi ynddo ar ol ei orphen.'

D. Thomas, adeiladwr y Neuadd Wen, at O.M., d.d.

269

270

271

271. Y Neuadd Wen,
'Whitehall' O.M. yng Nghymru.

272. Cyntedd y Neuadd Wen.
Dewis O.M. oedd y teils Delft
glas a gwyn ar gyfer y lle tân.

273. Aelwyd y Neuadd Wen.
Treuliai O.M. oriau lawer yma
yn golygu cylchgronau ac
ysgrifennu llyfrau.

272

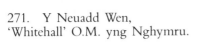

273

274

274/275/276/277. Rhai o forynion Bryn'r Aber a'r Neuadd Wen.

274. Annie Thomas Rhos Dylluan. Yn 1907 penderfynodd Annie geisio am swydd arall a gofynnodd i Elin am lythyr o gymeradwyaeth.

'Dyma gyfle i chwi adrodd tesni Annie. Dywedwch ei bod yn *clean, obliging,* honest; ac felly y mae. Beth am *nice-looking?* Gellwch ddweyd ei bod yn *tall, intelligent,* and fairly *handsome.*'

O.M. at Elin, Mehefin 1907.

275. Lizzie Thomas, Rhos Dylluan. Torrodd iechyd Lisi a bu rhaid iddi adael Bryn'r Aber.

'Bum yn chwilio am ddwy forwyn yn Ffestiniog, a phe buaswn eisieu rhai yrwan, roedd yno bump o rai eisieu lle. Tair o ferched hynod o ddymunol, tebyg i Lizzie y Rhos... Yr wyf yn teimlo erbyn hyn fy mod wedi gwneud camgymeriad ar hyd y blynyddoedd, trwy gymeryd genethod o'r ardal yma heb fod yn gwybod dim, nac arfer gwneyd gwaith, a thalu cyflog mawr iddynt. Synnais y cyflog bychan oedd y merched rheiny yn ofyn. £12 oedd Nel yma yn ofyn yn y gegin a minne yn rhoi £17 i un mor incapable.'

Elin at Ifan, Chwefror 1914.

275

276. Gwen Davies Nant y Llyn.

277. Jennie, Station Road, Llanuwchllyn. Bu Jennie yn forwyn yn y Neuadd Wen o 1918 tan 1921.

276

277

278

279

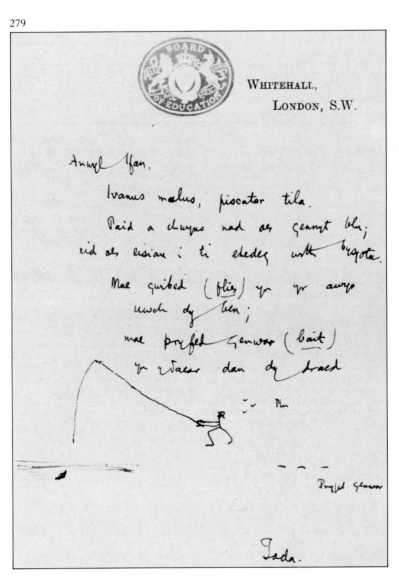

278. Ifan a Haf yn Llanuwchllyn. Tynnwyd y llun gan eu tad.

'Bydd yn hapus, bydd yn garedig wrth bawb, a gwna dy waith yn ei bryd.'

O.M. at Haf, Mai 1913.

279. Llythyr cellweirus at Ifan.

280. Cartŵn o'r *Western Mail,* 30 Gorffennaf 1910.

Mewn adroddiad a gyhoeddwyd yn 1909 condemniodd O.M. gyfundrefn arholi y Bwrdd Canol yng Nghymru. Canlyniad polisi'r Bwrdd, yn ei dyb ef, oedd cynhyrchu 'the wooden and unintelligent type of mind' a oedd yn nodweddiadol o blant Cymru. Bu cryn derfysg ynglŷn â'r Adroddiad ac aethpwyd â'r mater gerbron y Senedd.

'Y mae'r C.W.B. a'i gyfeillion yn ymosod arnom yn enbyd... Bydd ystorom yn y Senedd; ond waeth gen i yr un botwm pe teflid fi i'r môr, — achos fy ngwaith i ydyw y Report'.

O.M. at Elin, Tachwedd 1910.

280

SOMETHING GONE WRONG WITH THE WORKS.

The Central Welsh Board should now consider to what extent their rigid examination system may be the cause of the wooden and unintelligent type of mind of which their examiners complain.—Report of Welsh Department of the Board of Education.

281

281. O.M. yn y Gynhadledd Addysg Imperialaidd, 2 Mai 1911. Gwelir ef ar y chwith yn yr ail res. Yn y gynhadledd hon darllenodd O.M. bapur ar ddwyieithrwydd yng Nghymru.

'We do not regard the bilingualism of our country as a disadvantage in any way. We look upon it as an advantage. I believe that every schoolmaster in Wales who has given his mind to the subject looks upon bilingualism now as his opportunity, and not as his difficulty.'

O.M., 1911.

282

282. Tystysgrif marwolaeth Elizabeth Edwards, mam O.M., 1913.

'Y mae marwolaeth fy mam yn dal arnaf, beth bynnag a wnaf. Bob tro y caf funud o seibiant, y mae meddwl ei bod yn ei bedd yn fy llethu, ac yn peri rhyw wasgfa o gwmpas y galon sy'n rhoi rhyw fath o benfeddwdod i mi. Dylwn fod yn gallach ond nid wyf... Ond cefais i lwybr i fyny trwy lafur ac aberth fy mam. Ni wyr Ned a John ddim am yr ymdrech oherwydd fy mod i yn medru dangos y ffordd iddynt a'u helpu i'w cherdded. Ond nid oedd gen i neb i ddangos y ffordd i mi, a dim ond fy mam i'm helpu... Mynnodd y tamaid gorau fedrai hi fforddio i mi, cuddiodd ei phrinder a'i hafiechydon oddi wrthyf... Tra bod hi byw edrychwn arni fel rhyw amddiffynnydd o hyd... Meddyliwn ei bod rhyngof a phob ystorom fel o'r blaen, — a fy mod yn ieuanc ac ymhell oddi wrth y bedd tra bo hi'n fyw.'

O.M. at Elin, Chwefror 1913.

283. Elin, 1913. Llun a dynnwyd gan y ffotograffydd Gyde yn Aberystwyth.

'Daeth y ddau proof o fy lluniau. Danfonais hwy i Tada. Yr oeddwn i yn gweld y ddau yn reit dda. Peidiwch chwi a dweyd fy mod yn edrych yn front, alla i ddim gwneyd peth felly!... Beth ddaeth o'r un ¾ o'r gwyneb tybed? Fealle nad oedd hwnnw ddim wedi dod allan, a Gyde yn dweud ei fod yn meddwl mai hwnnw oedd y gore ynte.'

Elin at Ifan, Tachwedd 1913.

'Ni ddaeth y lluniau byth... I bwy y danfonaf hwynt? Does gen i ddim dwsin o ffrindie.'

Elin at Ifan, Tachwedd 1913.

283

284

284.   Syr Watkin Williams–Wynn, 1912. Yn 1914 bu O.M. a'r Barwnig yn cydweithio i berswadio bechgyn Meirionnydd i ymuno â'r Fyddin Brydeinig.

'Hawdd y gallaf gredu fod helynt a miri yn Llanuwchllyn ar adeg genedigaeth aer i Syr Watcyn. Pwy wyr beth fydd y cythrel bach, — bydd am ei rent, fel y llall, mi ddyffeiaf o.'

O.M. at Elin, Chwefror 1891.

'Can you read the enclosed letter from Sir W.W. Wynn?... I have taken a week's vacation to accompany him... to meet the leaders of the chief Meirionethshire localities *privately*. We have had excellent meetings, and this small county is beginning to awake. The time has now come for holding public meetings... My friends are very anxious I should be present at these meetings 1) to address meetings, 2) to appear as a converted 'peace at any price' man. I have done as much as anyone in this country to get the young men to hate war and 'militarism'. My friends and I should come forward to explain their duties in a 'just war'.

O.M. at Oates, Gorffennaf 1914.

285

286

285.   Bathodynnau eisteddfodol O.M. Dyma'r naw bathodyn a roddwyd gan Syr Ifan i'r Amgueddfa Genedlaethol yn 1934. Bu O.M. yn feirniad yn Eisteddfod Bangor (1890), Y Rhyl (1892), Llangollen (1908), Bae Colwyn (1910). Bu'n llywyddu yn Y Rhyl (1904), Caernarfon (1906), Llangollen (1908), Castell Nedd (1918). Gan iddo ysgrifennu'r libretto ar gyfer y gantawd 'Cambria' a berfformiwyd yn Eisteddfod Llandudno (1896), cafodd fathodyn 'Swyddogol'.

286.   Tocyn trên O.M. o Lanuwchllyn i Rydychen. Daliai i deithio '3rd class' hyd yn oed wedi ei apwyntiad yn Brif Arolygwr.

'Nid aethoch fel y meddyliech yn y "first class", piti. Dylech gael pob cysur. Does neb yn fwy teilwng.'

Elin at O.M., Gorffennaf 1915.

287.   Rhai o 'gartrefi' O.M. ar hyd a lled Cymru pan oedd yn Brif Arolygwr Addysg, 1907-1920.

'Yr wyf yma, mewn lle digon cysurus, ond nad yw'n gartref.'

O.M. at Elin, 1915.

287a

287b

288

288. Teulu dwys. Y llun olaf a dynnwyd o'r teulu cyn i Ifan ymuno â'r fyddin.

289

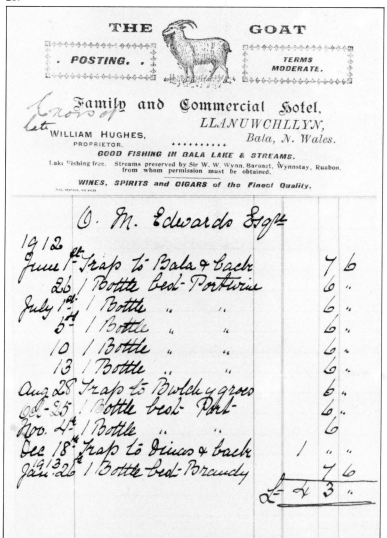

289/290. Tafarn 'Y Goat', Llanuwchllyn, heddiw, a bil y dafarn at O.M., Ionawr 1913.

'Yr wyf yn amgau dau 10/6 (neu 6/6) eto; gyrrwch i nol dwy botel o *champagne* ag un ohonynt, — dyna eneth dda, — rhag ofn y dof adre dros y Sul i geisio cryfhau tipyn. Ni feiddiaf gymeryd *tonic* felly yma, gwyddoch pam.'

O.M. at Elin o Rhydychen, Chwefror 1897.

290

291

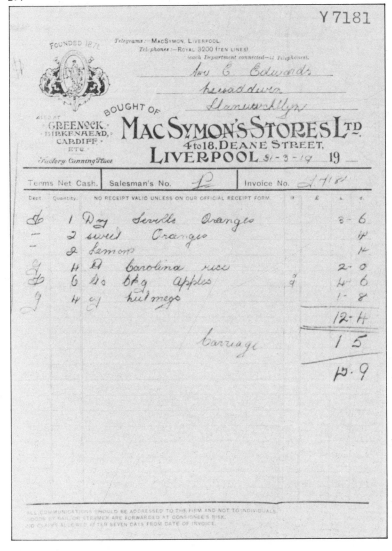

291. Bil y Neuadd Wen oddi wrth 'Mac Symon's Stores' yn Lerpwl. Oddi yma y câi Elin ei holl nwyddau. Fel y gwelir, yr oedd hyd yn oed y ffrwythau yn cael eu hanfon o Lerpwl i orsaf Llanuwchllyn.

292. Teligram o 10 Downing Street, 31 Rhagfyr 1915. Ni atebodd O.M. lythyr y Prif Weinidog yn ei wahodd i dderbyn Urdd Marchog. Yn ôl pob tebyg ni atebodd y teligram chwaith. Yn hwyr ar brynhawn 31 Rhagfyr 1915, gan Alfred T. Davies o'r Bwrdd Addysg y cafwyd caniatâd i gynnwys enw O.M. yn y Rhestr Anrhydedd yn y papurau drannoeth, 1 Ionawr 1916.

293. Llongyfarchiadau Lloyd George, 1 Ionawr 1916.

'Bu yn hollol gysurus arnaf nos Sadwrn. Mr a Mrs Lloyd George yno, Maer a Maeres Greenwich, Cadeirydd Addysg Saesneg ac amryw eraill. Bydd rhaid i mi brynnu'r wisg grand honno cyn hir, a gwisgo cleddyf, i gael fy nghyflwyno i'r brenin wyf yn ei wasanaethu.'

O.M. at Elin, Mehefin 1908.

294. Y Marchog, 1916.

'Yr wyf yn mynd o flaen y Brenin bore yfory, ac yr wyf yn bur bryderus. Gobeithio na rydd ei gleddyf yn fy llygad yn lle ar fy ysgwydd trwy i mi slipio oddiar fy nglin.'

O.M. at Haf, 1916.

292

POST OFFICE TELEGRAPHS.

O.H.M.S.
Treasury.

TO G. M. Edwards. Neuadd-Wen Llanuwchllyn Bala.
Am awaiting reply to Prime Ministers letter urgent. Private Secretary 10. Downing Street.

293

POST OFFICE TELEGRAPHS.

London SW

TO Sir Owen Morgan Edwards Neuadd Wen Llanuwchllyn Bala
Heartiest Congratulations on well merited honour Lloyd George

294

295. O.M. a'r 'Cerbyd Bach'. Egwyl am gwpaned o de ar y daith.

'Hoffwn gartref dedwydd, — digon o ddodrefn a darluniau ac arian at raid, — cwch a cherbyd bach leiciwn i gael hefyd.'

O.M. at Elin, tua 1887.

Ei fab, Ifan, a wthiodd ei dad i brynu car ar ôl y rhyfel: 'Fe fuasai yn handi i chwi fynd rownd eich "etifeddiaeth".' Yn 1916 prynodd O.M. Edwards Overland ond o fewn blwyddyn yr oedd y car ar werth, 'Dyma ymholiad daeth heddyw am y car. £225 roisom am dano. £275 ydyw pris Overland newydd yrwan... Os cewch £200 gwell ei werthu, nai fod yn gwaethygu. Gauaf eto ddaw.'

Elin at O.M., Gorffennaf 1917.

296. Syr O.M. Edwards, D.Litt.

'Llawen gennyf gael y fraint o gyflwyno i chwi Mr Is-Ganghellor, gydymaith agos i mi gynt, a chyfaill fyth, gŵr a anwylir ei enw ar bob aelwyd lle perchir yr iaith Gymraeg, Syr Owen Morgan Edwards... Cyfiawn yw dywedyd nad oes neb byw a wnaeth gymaint ag ef i estyn oes yr iaith Gymraeg. Ni buasai'r Brifysgol yn deilwng

o'i henw cenedlaethol nac o'i chymeriad fel meithrinfa llên pe na chydnabyddai gymwynas fel hon.'

Darn o gyflwyniad John Morris-Jones ar achlysur estyn gradd Doethur mewn Llenyddiaeth er anrhydedd i O.M., Gorffennaf 1918.

297. Aelodau o Gomisiwn Brenhinol Haldane 1917/18. Mae O.M. yn y canol yn y rhes gefn.

298

298. Ifan, y milwr. Cerdyn i'w fam o Toutencourt, Ffrainc, 1916.

'Y bechgyn goreu welaf yn cynnyg eu hunain i'w gwlad.'

O.M., Cymru XLVII (1914).

'Ac ymdrech fawr cenedl y Cymry heddyw yw cadw ei bywyd. Wrth frwydro dros ddynolryw, a rhoi ei bechgyn goreu'n aberth, cadwodd ei henaid yn fyw ac yn bur.'

Rhan o araith a draddodwyd gan O.M. yn Eisteddfod Genedlaethol Aberystwyth, 1916.

'Hoffwn yn fawr weled diwedd y rhyfel, ac i Ifan ddod adre i gymeryd tipin o ofal oddi arnom.'

Elin at O.M., Mehefin 1917.

'Just a line again while I am on guard... I am just thinking of you at home nowadays by a jovial Christmas fire as happy as can be. I only wish that I could be there with you but let us hope that will not be long now — we are all very tired of this war and all wishing it would end. Surely there is a way out of it somehow before our next Christmas. It is up to you people at home to see to it, we cannot.'

Llythyr Ifan at ei fam, Rhagfyr 1917.

299

300

299.   Cerdyn post oddi wrth Elin o Ynys Wyth at ei chwaer Mary yn Llanuwchllyn. Yn 1918 yr oedd pryder Elin am Ifan yn cynyddu ac ym mis Tachwedd aeth O.M. â hi am wythnos i aros mewn gwesty ar yr ynys er mwyn iddi gael gweld ei mab yn ddyddiol.

'Yr ydym yn aros mewn lle hyfryd a dyddorol iawn. Yr ydym yn agos i lan y môr ac awn yn aml i'r lle sydd ar y p.c hwn. Daw Ifan i'n gweld bob dydd, nid ydyw ond gwaith rhyw gwarter awr oddiyma. Wrth gwrs mae ganddo waith caled bob dydd. Ni welsom yr un sub marine wrth groesi'r mor yma, ond mae amryw o longau i'w gweld yn y mor wedi mynd yn ddryllion. Mae yma le garw am stormydd yn y gauaf. Mae aeroplanes wrth ein pennau o hyd yn croesi i Ffrainc.'

Elin at ei chwaer Mary, 1918.

300.   Llwybr Coed y Garth.

'Yr wyf yn cael ffit o hiraeth am roi'm gwaith i fyny y dyddiau hyn. Fel y dywedais wrthych, yng Nghoed y Garth, yr wyf yn meddwl y dylwn gael peth seibiant.'

O.M. at Elin, Mai 1915.

301

302

301. Elin, Ieuan Hughes ei nai, a Mrs Hughes.

'Dyma ni eto wedi ein gwahanu. Yr wyf yn teimlo eich bod yn mynd fel dyn dieithr yma yrwan, neu fel rhyw casual visitor ynte?'

Elin at O.M., 1915.

'Yr wyf yn bryderus iawn yn eich cylch pan fyddwch o'r golwg. Rhown lawer pe peidiech a mynd oddicartre am yr haf yma, gadael popeth, i chwi gael gorffen gwella. Mae pryder ac ofn clywed rhywbeth yn llethu dyn.'

Elin at O.M., Gorffennaf 1917.

302. Un o'r lluniau olaf a dynnwyd o Elin, haf 1918 (gyda Haf a'i ffrindiau). Bu Elin yn dioddef o iselder ysbryd ar ddechrau 1919 ac ym mis Ebrill lluchiodd ei hun drwy ffenestr/ystafell ymolchi yn y Neuadd Wen. Anafwyd hi'n ddifrifol a chyflogodd O.M. ddwy nyrs i ofalu amdani. Ar y nawfed o Ebrill bu farw, ac wedi ei chladdu collodd O.M. flas ar fyw.

'. . . dywedodd Ephraim am y noson y bu gyda hi yn ei saldra. Yr oedd yn cael plyciau o boen ingol yn ei phen, a dywedai, — "O mae hi'n galed arna i". Yna crwydrai ei meddwl beth a deuai i'r un peth o hyd, — "Fum i erioed yn deilwng o Owen, fum i erioed yn deilwng ohono fo".'

Dyddiadur O.M., Medi 1919.

'Your dear wife was most of the time I spent with her, speaking and singing in Welsh. Lady Edwards often said "Owen bach" but wasn't sensible even to ask for you. Only one afternoon she seemed more conscious and spoke to me. Then Lady Edwards used in her mutterings to introduce her children's names and that is all I can tell you. . . Your dear wife was too ill in mind and body to give a message.'

Un o'r nyrsus at O.M., Medi 1919.

'Gwyn fyd na wybuaswn er ys blynyddoedd ei bod mewn perygl. Ond sut y medrwn?'

Dyddiadur O.M., Hydref 1919.

303

304

TEULU BRYN 'R ABER.

LLANUWCHLLYN.

OWEN MORGAN EDWARDS. Ganwyd Rhag. 25. 1858.

Mab Owen Edwards, Coed y Pry; bu farw Mawrth 27. 1895. bu farw Mai 17 1920
Elizabeth Edwards, (nee Jones, Tyn Rhos)
Cynnrawd o Goleg Lincoln, Rhydychen; Prif-arolygydd cyntaf Addysg Cymru;
Marchog; Gweiniwr; Golygydd "Cyfres y Fil", Cymru, Cymru'r Plant, etc.

ELLEN ELIZABETH EDWARDS. Ganwyd Awst 25, 1860.

Merch Evan Davies, Prys Mawr. bu farw Ebr. 9. 1919,
Gwen Davies (nee Jones, Prys Mawr) am hanner awr wedi dau yr
bore, yn addfwyn dawel, wedi cystudd
trwm. O ffarwel, Elin hoff, a'r oreu o wragedd, hyd ddyled
yr hyfryd gyd-gyfarfod etc. Daw a'r bachgen in Gyfarfod.

OWEN AB OWEN. Ganwyd Medi 26, 1892. bu farw Mawrth 9. 1897.

Bachgen hoff, iach, hynod serchog oedd. Cafodd diphtheritic scarlet fever;
ac chedod ei ysbryd bach, pur, careidig, yn dawel dawel, wedi ei glafyd
trwm, am wyth o'r gloch y bore.

IFAN AB OWEN. Ganwyd Gor. 25. 1895. bu farw Ionawr 23. 1970 (6oicdoch)

Priododd Eurys, merch Mr. a Mrs. Lloyd Phillips, Llofwl. Hannai Mrs.
Phillips o'r Drenewydd, a Mrs. Phillips o Aberystwyth o deulu David Charles,
Caerfyrddin, ar Orffennaf 18, 1923 Ganed hi Rhag 9. 1897.
Rhagfyr

303. Tudalen o Feibl O.M. 'O ffarwel, Elin hoff a'r oreu o
wragedd... Daw a'r bachgen i'n cyfarfod.'

'Ar ei gwely angau gofynnais iddi, — "Os byddwch yn mynd o'm
mlaen i fy ngheneth i, a ddewch ag Ab Owen i'm cyfarfod fel ar
Boar's Hill?" Ei hateb oedd, — "Owen annwyl, yr ydych wedi'm
gwneud yn berffaith hapus".'

Nodiadau O.M., 1919.

304. Linnie Hughes, hoff nith O.M. a merch Kate Y Prys. Bu'n athrawes Ffrangeg yn Ysgol Tregŵyr ac yn Blackheath, a bu'n gefn i O.M. yn y misoedd wedi marw Elin.

'Mae eich ysbryd dipyn yn wahanol i beth oedd pan oeddech ffordd yna ar eich mis mêl. Roedd eich bywyd a'ch gobeithion o'ch blaen, ac yrwan mae llawer o'ch gobeithion wedi eu sylweddoli, a'r goleuni wedi mynd o'ch bywyd... Mae'ch meddwl yn siwr o fod yn llawn adgofion byw tra yn mynd trwy y lleoedd y buoch ynddynt. Yn tydi o yn gysur i chi feddwl nad oes gennych yr un adgof nad yw'n felus ar ddiwedd 28 mlynedd?'

Linnie Hughes at O.M., 19 Mawrth 1919.

'Yr wyf finnau yn y dyfnderoedd heddiw... Es at ei bedd... Y mae ei llythyrau ataf y misoedd cyn priodi yn fy mhoced... Cefais rhyw bang yn y fynwent a thybiais fy mod wedi marw. Hynny fuasai orau gennyf... Fel y dywedwch rhaid i mi ymwroli... Yr wyf yn treio gwneud hynny... Ond cyn hir daw'r hiraeth yn felys a'r Neuadd Wen yn hyfryd wrth gofio am Elin. Dysgodd i mi fwynhau bywyd, a deall beth oedd mwynder.'

O.M. at Linnie Hughes, Mai 1919.

305. Y Parchedig William Matthews a Mrs Matthews. Y Parch William Matthews oedd yn cynorthwyo y Parch H.O. Hughes ym mhriodas O.M. ac Elin, a bu ef a'i wraig yn ffrindiau da i deulu Bryn'r Aber a'r Neuadd Wen. Gweinidog Horeb, Llanfairfechan oedd William Matthews, ac ar ôl ei farwolaeth yn 1912, daeth 'Anti Matthews', perthynas i Elin, i'r Neuadd Wen i fyw. Bu farw yno 2 Mai 1919, tair wythnos wedi claddu Elin.

'Yr ydym yn disgwyl clywed o hyd pryd ydych yn dod atom. Wedi i chwi fod yma, yr ydym yn mawr obeithio yr arhoswch gyda ni yn derfynol. Y mae Elin yn unig iawn gartref, wrth fy mod i gymaint i ffwrdd.'

O.M. at Mrs Matthews, Mawrth 1912.

305

306

306. T. Gwynn Jones. Edmygai O.M. waith T. Gwynn Jones a rhoddodd bob cefnogaeth iddo. Hyd yn oed yn ei salwch a'i hiraeth yr oedd yn awyddus i helpu eraill i wasanaethu Cymru.

'Fel y gwyddoch yn ddiau, y maent yn ymofyn Athro Cymraeg yng Ngholeg Aberystwyth. Bwriadaf gynnyg am y lle. A allech chwi roi geirda i mi ar bapur, fel y danfonwyd gyda'm cais? Byddwn yn ddiolchgar iawn pe gallech. . .'

T. Gwynn Jones at O.M., Gorffennaf 1919.

'Diolch yn fawr i chwi am eich llongyfarchiadau caredig. Y mae yn dda gennyf gael y cyfle i ddal ar waith a gerais erioed. Ac eto, y mae arnaf ofn clywed swn un drws yn cau ar f'ôl, rhag na welwyf mwy mo'r byd mawr oddiallan.'

T. Gwynn Jones at O.M., Awst 1919.

307/308/309/310. Y Meistr Tir. Rhai o'r ffermydd a brynwyd gan O.M. yn Llanuwchllyn a'r cyffiniau. Wedi marw Elin ceisiodd Ifan berswadio ei dad i'w gwerthu.

'Wel Bow bach rydych yn gwneyd pres beth ofnatsen er gwaetha'r byd drwg. . .'

Elin at O.M., Mawrth 1896.

'Fel y meddyliwch buasai'n dda gennyf i chwi werthu'r ffermydd. Nid oherwydd dim canlyniadau o'r gyfraith, ond am nad ydynt yn talu. . . Ond os gwerthu, credaf mai ocsiwn ddylasai fod.'

Ifan at O.M., Tachwedd 1919.

307

308

307. Blaen Cywarch.

308. Cae Peris.

309. Plas.

'I have bought Plas and Garth for £3,600, the purchase to be completed in September next.'

O.M. at Mr Hughes, Mehefin 1912.

310. Garth Uchaf.

309

310

311

312a

312b

313

311. 'Un o Lyfrau Syr Owen Edwards'.

Ychydig cyn iddo farw gofynnodd O.M. i J. Kelt Edwards, yr arlunydd o Ffestiniog, gynllunio 'bookplate' addas iddo. Bu farw O.M. cyn cael cyfle i'w weld. Mae'r darluniau arno yn croniclo bro a bywyd O.M.

312a/b. Medal Anrhydeddus Gymdeithas y Cymmrodorion a ddyfarnwyd i O.M. yn 1919. Bu farw cyn ei derbyn.

313. Y llun olaf.

'A mi, ar ryw fin nos, yn ystyried fy mywyd ffwdanus a diles, bywyd o gyfleusterau wedi eu colli a gwaith heb ei wneud, gwelais mor wir yw fod ein blynyddoedd yn mynd ymaith fel chwedl; a theimlais nad oes nofel a ddarllennir gan enethod ysgolion mor wagsaw, mor arwynebol, ac mor ddibwrpas a'm bywyd i.'

Er Mwyn Cymru

314. Tystysgrif Marwolaeth O.M.

315. Angladd O.M., Mai 1920.

314

315

316. Cymry yn talu gwrogaeth wrth fedd O.M. ym mynwent Capel
y Pandy, Llanuwchllyn.

317.   Dadorchuddio darlun olew Margaret Lindsay Williams yng
Nglynceiriog ar Ddydd Gŵyl Dewi, 1946. Yn y rhes flaen gwelir
Ifan, Owen (ŵyr O.M.) a Haf.

318.   Y ffotograff hwn oedd sylfaen y darlun olew.

319.   Adeiladu'r Porth Coffa, mynwent Capel y Pandy.

320.   Angel yr Atgyfodiad, Porth Coffa O.M., mynwent Capel y Pandy. Y cynllunydd oedd R.L. Gapper.

321.   Dadorchuddio cofeb O.M., Y Gilfach Goffa, Llanuwchllyn, 2 Mai 1959. Y cyntaf a'r ail o'r chwith yn y rhes flaen yw Jonah Jones (y cerflunydd) a J. Quentin Hughes (y cynllunydd).

'Cartrefi gwledig Cymru yw yr unig gofgolofnau i arwyr ein hanes ni... nid yw eu gwlad eto wedi codi llawer o gofgolofnau i'w henw, oherwydd tlodi nid oherwydd diffyg serch.'

Cartrefi Cymru

322

323

322. 'Y Tair Chwaer'.
Sylfaenwyd y murlun ar y stori
'Tair Geneth Fach' o *Llyfr Nest.*
Gwelir yma hapusrwydd a
harmoni plant Cymru wedi'r
newid a ddaeth yn sgil polisi
addysg O.M.

Yn 1962 cyflwynodd yr artist
John Meirion Morris gyfres o
furluniau i Neuadd Bentref
Llanuwchllyn. 'Y Tair Chwaer'
yw un ohonynt.

323. Cornel O.M. yn Ysgol
O.M. Edwards, Llanuwchllyn,
1988.

324

'Gwn am lawer mab gofid na fynnai fyw drachefn, mewn byd arall, ei fywyd fel y bu. Nid wyf yn meddwl y gûyr neb yn well na mi beth yw siomiant ac alaeth. Ond, os caf fyw fy oes eto mewn cylch mwy ysbrydol, fy nymuniad dyfnaf yw ei fyw yng nghwmni y rhai fu'n cyd-deithio â mi. A mwyn, weithiau, fydd taflu ambell drem yn ôl.'

Er Mwyn Cymru

'Ac nid dyfod i Gymru i achub Cymru a wnaeth, ond i wneud Cymru'n werth ei hachub. A daeth atom ninnau fechgyn a genethod diganllaw cefn gwlad, ysgubion llifeiriant y dirywiad, gan roi llygaid inni i weld yr unrhyw weledigaeth, a'n bwrw ni, drwyddo ef dan ei chyfaredd. Dyma pam y mae plant ein plant yn siarad Cymraeg.'

Anerchiad Tegla yng Nghyfarfod Canmlwyddiant O.M., 2 Mai 1959.

Rhai dyddiadau.

1858	(26 Rhagfyr) Geni Owen Edwards yng Nghoed-y-pry, Llanuwchllyn.
1867	Ysgol y Llan, Llanuwchllyn.
1874	Ysgol Ramadeg Tŷ-dan-Domen, Bala.
1875	Coleg y Bala.
1880	Coleg Prifysgol Aberystwyth.
1883	B.A., Llundain.
1883	Prifysgol Glasgow.
1884	Coleg Balliol, Rhydychen.
1887	B.A., Rhydychen.
1887-88	Teithio'r Cyfandir.
1889	Cymrawd o Goleg Lincoln, Rhydychen.
1891	Priodi Ellen Elizabeth Davies, Y Prys Mawr, Llanuwchllyn.
	M.A. Rhydychen.
	Cyhoeddi *Cymru*.
1892	Cyhoeddi *Cymru'r Plant*.
1893	Ysgrifennu adroddiad ar gyflwr Colegau Cymru a chynghori sefydlu Prifysgol.
1894	Golygu *Wales*.
1895	Warden cyntaf Urdd y Graddedigion, Prifysgol Cymru.
	Golygu *Y Llenor*.
1897	Golygu *Heddyw*.
1899	Aelod seneddol dros Sir Feirionnydd.
1907	Prif Arolygwr cyntaf Addysg Cymru.
1908	Cymrawd Anrhydeddus, Coleg Lincoln, Rhydychen.
1916	Ei urddo'n farchog.
1918	Cael gradd D.Litt gan Brifysgol Cymru, er anrhydedd.
1919	Derbyn Medal Anrhydeddus Gymdeithas y Cymmrodorion.
1920	(6 Mai) Bu farw yn ei gartref yn Llanuwchllyn. Claddwyd ef ym mynwent y Pandy.

Rhai o'i Weithiau.

Llyfrau

1889	*O'r Bala i Geneva*, Bala.
1889	*Tro yn yr Eidal*, Dolgellau.
1890	*Tro yn Llydaw*, Dolgellau.
1893	*Trem ar Hanes Cymru*, Llanuwchllyn.
1895	*Hanes Cymru 1*, Caernarfon.
1896	*Cartrefi Cymru*, Wrecsam.
1897	*Gwaith Barddonol Islwyn*, Wrecsam.
1899	*Hanes Cymru II*, Caernarfon.
1906	*Clych Atgof*, Caernarfon.
1906	*Llyfr Del*, Wrecsam.
1907	*Tro Trwy'r Gogledd*, Caernarfon.
1907	*Tro I'r De*, Caernarfon.
1913	*Llyfr Nest*, Wrecsam.
1921	*Yn y Wlad*, Wrecsam.
1922	*Er Mwyn Cymru*, Wrecsam.
1922	*Llynnoedd Llonydd*, Wrecsam.
1926	*Llyfr Haf*, Wrecsam.
1926	*Llyfr Owen*, Wrecsam.

Cyfresi

1888	*Cyfres y Werin*.
1889	*Llyfrau'r Bala*.
1892-95	*Cyfres y Llyfrau Bach*.
1897	*Llyfrau Urdd y Delyn*.
1898-1901	*Cyfres Clasuron Cymru*.
1901-16	*Cyfres y Fil*.
1905-14	*Llyfrau Ab Owen*

Cylchgronau

1889-91	*Cymru Fydd*.		
1895	*Seren y Mynydd*.	1894-97	*Wales*.
1891-1920	*Cymru*.	1895-98	*Y Llenor*.
1892-1920	*Cymru'r Plant*.	1897	*Heddyw*.

Diolchiadau

Diolchaf i Gymdeithas Gelfyddydau Gogledd Cymru am y gwahoddiad i lunio'r gyfrol ac i Clifford Jones, Dirprwy Gyfarwyddwr y Gymdeithas, a Nan Griffiths, Swyddog Llenyddiaeth Cyngor Celfyddydau Cymru, am eu hanogaeth. Bu'n bleser hefyd cydweithio â Marian Delyth, dylunydd y gyfrol.

Tynnwyd lluniau newydd ar gyfer y llyfr gan Marian Delyth, David Jenkins (Llyfrgell Coleg y Brifysgol, Aberystwyth), Aled Jenkins, Brian Winfield, ac Ifor Owen. Dymunaf ddiolch i Mihangel Morgan Finch am ddylunio'r ddau gart achau.

Y mae fy nyled pennaf i Ifor Owen, Y Gwyndy, Llanuwchllyn: ef a fu yn fy nhywys oddeutu'r fro. Diolch iddo ef am ei haelioni ac i Mrs Owen am ei chroeso. Bu Ifor Owen a Brian Winfield yn treulio oriau, yn ddi-dâl, yn tynnu lluniau yn Llanuwchllyn a'r cyffiniau. Hoffwn hefyd gydnabod y croeso cynnes a gefais gan Mair a Brian Winfield ar aelwyd y Neuadd Wen.

Cefais ganiatâd Owen a Prys Edwards i ymchwilio yng *Nghasgliad O.M. Edwards* yn Llyfrgell Genedlaethol Cymru a chaniatâd John Tudno Williams i chwilio am luniau yng *Nghasgliad David Hughes Parry*. Diolch i Shân a Cath Edwards am groesawu ffotograffydd i'w cartrefi i dynnu'r lluniau o ddodrefn O.M.

Yr wyf yn ddyledus am wybodaeth i Iwan Jones, K.O. Morgan, Roger Webster, Alwyn Roberts, Hywel Teifi Edwards, E.L. Ellis, Richard Brinkley, Evan James, Clare Hopkins, Eifion Wyn Williams a Lloyd Hughes. Diolch i'r canlynol am anfon neu dynnu lluniau.

Diolch i'r Llyfrgelloedd a'r Archifdai canlynol am hepgor tâl hawlfraint.

Llyfrgell Bodleian, 189, 209.

Llyfrgell Dinas Rhydychen, 91, 94, 132, 163, 188, 229, 237, 238.

Archifdy Swyddfa Adeiladu Prifysgol Rhydychen, 161.

Archifdy Llyfrgell Dinas Westminster, 261.

Amgueddfa Genedlaethol Cymru (Amgueddfa Werin Cymru).

Archifdy Gwynedd.

Llyfrgell Genedlaethol Cymru.

Hazel Davies.